U0115327

山峙淵渟，寬仁大度

——蘇文寬書法作品集

蔡序

文寬的書法作品內容，包括字體在內，悉由自己所創作，所以墨寶文末皆署「詩作者蘇文寬書」。坊間因為選舉過程激烈而相互揭發出來，諸多候選人的論文有抄襲情事，文寬的作品絕對不會有此瑕疵，因為他的詩、書風格均亙古所無。

初識文寬，被他詩文的外表卻潛藏深厚的太極拳功力所折服，有很多警界、調查局幹員都曾是他的門生。擁有一樣超群的技能，已屬不易，文寬興趣廣泛，為了將自己創作的詩作寫下，努力研習書法，不拘一格，自創筆法，令人驚嘆。

文寬心思細膩，容易觸景生情，常常文思泉湧，信手拈來，就能完成一部作品。囿於文寬的盛情邀約，乃不揣淺陋，為文推薦。

法務部政務次長
蔡碧仲

林序

聽聞大山電線電纜公司蘇文寬副董事長，即將出版集結了他多年來詩詞、書法創作精選套書的好消息，內心感到非常高興。

蘇董是一位事業經營有成的企業家，更是浪漫的詩人兼書法家。他的詩詞創作起源很早，靈感一來，透過即興創作來表達內心世界：藉自然景物的描寫抒發情感；闡述長期修練太極拳的養身要法；或是將個人商場決策機鋒、公司經營心法鎔鑄於字裡行間，在在都能看出他對生活的獨特體驗與優美的文字造詣。拜今日網路科技發達所賜，每得巧思佳作，蘇董立即透過通訊群組讓大家先睹為快，更頻頻與詩詞同道相互賦詩唱和，以文會友，樂此不疲。

「詩而優則書」，蘇董以個人豐富的人生閱歷與國際視野，從太極拳中獨得一悟，讓他在百忙中能創作出為數頗多書情畫意的作品。作品剛柔並濟、揮灑自如，展現出自由豪放，膽大心細的性格。二〇二〇年六月，蘇董應個人邀請，到南華大學舉辦了「寬心—書情話意書法展」，共展出三十餘幅作品，內容與書寫形式皆自成一格，散發出具有特色的個人風格與魅力，展出期間也獲得全校師生與欣賞者一致好評。

近年來，臺灣科技、經濟飛快成長進步，成功的企業家不在少數，但以傑出企業家同時又身兼詩人、書法家多重角色，除蘇董外，實不作第二人想。個人有幸在高教界服務多年，持續推動校園生命教育，一直認為大學之道不應汲汲於學業，更當陶鑄學生成為科技與人文並重的現代社會公民。詩詞、書法創作與欣賞，不僅千百年來文人雅士鍾愛此道，今日更可大加推廣，以收安定人心、助於修身養性之弘效。

精選集即將纂成付梓，從本書所收錄一篇篇、一幅幅詩情畫意的作品中，知音人必可感受到蘇董個人熱愛藝術、樂活人生的滿滿正能量！本人謹以多年老友的身分，衷心期待、充滿熱誠的在出版前夕特為之序，以饗讀者。

南華大學校長
林聰明

侯序

遙想十多年前在菊野村料理宴請雲林地區教育界與產業界的領導人，一時群賢畢至，少長咸集。觥籌交錯間與大山電線電纜企業蘇文寬總經理，一見如故。其本人乃為台灣及至國際知名電線電纜產業之執牛耳的企業家，本身卻少了台灣傳統產業的主持者那種市井草根之氣，反卻顯露出一股溫文彬彬的儒商風采。在飲宴席間，眾人歡笑言談中，文寬兄不時詩出胸臆、出口成章、妙語如珠，儼然成了酒席間鋒頭健兒，大家仰之彌高的主角。因而留下了特別的印象，思忖宴後能有機會和其請益。

思之所念，念成所想，不知是否早已命定有緣，文寬兄與吾彷彿心有靈犀。酣暢間兄邀集大家餐後一同至其斗六宅邸進行二次會。素雅的樓中樓大廳，入門即見文寬兄自書作品條幅，筆走龍蛇，神采飛揚。閒章鈐印「大坤福」，問其所以，得知兄乃以尊翁蘇坤福創辦人之名號，以「大」為恭崇敬仰之意，作文寫書，常念父親之創業維艱，以為自勉。《禮記》言「孝」有三個層次，最上為：「大尊尊親」。文寬兄以「大」作印以尊懷父親，用典深厚，學富五車。家中另置禮佛拜堂，清淨禪心，則為奉養誠心向佛的萱堂而設。心中不免稱歎文寬兄能循《禮記》：「孝子之養也，樂其心，不違其志。」之古風，真是位滌親孝子，更是個謙謙君子。

在文寬兄的邀請下，於宅邸中品茶歡唱，也與其訂交，約為益友。一次北上洽公，和文寬兄同乘高鐵，一個半小時的旅程與兄天南地北，促膝長談。其間文寬兄吟詠賦詩，分享其事業倥傯之際，仍能作詩寫詞並以書墨筆錄。其間又參揉了自己長年練習太極拳法的體會，從腦內思緒、心中詩意透過鐵畫銀鉤、氣韻流暢的線條和拳法奧旨，行雲流水地展現在宣紙上。內心不免感到驚艷與澎湃，發現眼前乃千年一遇之蘇白合體轉世奇才。返回雲科大後隨即指示藝術中心邀請文寬兄蒞校舉辦「寬心蘇情畫意書法展」，並請楊能舒副校長主持開幕。展出非常成功，成為當年雲林藝文界之盛事，又期約後續再辦創作展，為我們理工科技的學子，增添豐厚的人文氣息。

爾後，文寬兄持續創作不斷，常透過網路為鴻雁，見景抒詩。一次本人赴英國劍橋與牛津訪問，收到寬兄來訊，賦詩：「侯伯子男公，春來夏秋冬；看人生四季，君心一若玉。」提醒吾注意加減衣著，運巧思鑲吾名於詩句中。旅外漂泊而收摯友之慰勉，有如在入秋的英吉利，拂上了一道爽暢的清風。

文寬兄十數年來持續的創作，唐臨晉帖、柳骨顏筋，其真積力久則入，自成一格。今彙集書法精選作品成帙，積土成山，積水成淵，名為「山峙淵渟，寬仁大度——蘇文寬書法作品集」，乃書家退筆冢中盡力之佳作，於此得先睹為快，謹向方家雅士鄭重推薦。

國立雲林科技大學前校長

侯春看

鄭序

本身自一九九三年從美國完成學業之後，回來台灣到雲科大教書。驅車從斗南交流道往雲科大的路上，往往可以瞥見「大山電線電纜」大大的公司招牌。一九九四年一家人定居在斗六市久安里，住家到大山電線電纜公司相距僅只三公里的距離，但是有緣千里來相見，無緣對面相不逢，這麼多年以來卻從來沒有機會與文寬認識。

直到二〇二〇年九月文寬就讀雲科大產業經營博士班，二〇二一年二月選修我的課程：「管理創新實務專案製作」，才首次有了教學相長的接觸。還記得第一天上課的時候，文寬跟我說到，小時候跟著父親在公司裡協助工廠的經營管理，長大之後到英國進修碩士學位，為了行銷公司的產品，跑遍世界各國。他指出二〇一九到杜拜拜訪好友Emadhasouni，身處杜拜可比曼哈頓的金融中心，好友跟他說眼前看見的十幾棟大樓，網路用線都採用大山電線電纜，令他心想自家公司產品能遠揚國際，著實引以為豪。

二〇二一年四月文寬應東華大學邀請，舉辦書法展：「2021東華春藝季：寬心書情畫意4」。我才真正認識文寬在擁有豐富的企業經營管理閱歷與國際視野之外的文藝情懷與書法造詣。隨著與文寬的相處，也認識到其長年練習太極拳，頗有心得，且能納拳意餘筆意，加上自己雅好的古典詩詞創作，融詩、書、太極三位為一體。也因如此，文寬在百忙之中創作出一幅幅詩情畫意的作品，總是令人欽賞不已。文寬的書藝，抱樸守真、寄情墨趣，並且結合詩詞，含納生活經歷之體會，吟詠流觴、述情寫景，自成一格，散發出具有特色的個人風格與魅力。

身為文寬的論文指導教授，博文鼓勵文寬應該將這些書法以及創作的詩詞好好整理，跟大眾分享，因此特別拜託雲科大漢學所的翁敏修所長以及王世豪老師協助整理。感謝翁所長以及王老師一年多來的努力收集資料及用心整理，彙集詩詞「大筆如椽，文江詩海——蘇文寬詩詞作品集」與書法「山峙淵渟，寬仁大度——蘇文寬書法作品集」作品成帙。

看到文寬的文藝才華作品即將世人見面，內心實在感到無比高興且與有榮焉。也希望文寬的好友，能夠持續給予文寬在才藝展現上，更多的支持與指導！

國立雲林科技大學工業工程與管理系教授
二〇二二年十一月六日
鄭博文

宋序

蘇文寬先生是我朋友中少數以藝術文化為生活重心的人；蘇先生多年來致力於書法之研究、練習及推廣，其書道之體，自成一格，雄渾厚重又不失蒼勁與飄逸，頗能反映其敦厚拙樸與幽默風趣相互融合之本性；我想或許與他每日練習太極拳亦有呼應之功。蘇先生早年縱橫商場與父兄同為大山電線電纜股份有限公司奠下了宏偉之基業，近年來潛心於書法與太極，遠離紅塵萬丈，卻常執赤子之心關懷國家社會，頗有士大夫憂國憂民之風。

大多數的人（包括我自己）常須為五斗米折腰，一生奔波勞碌，甚至為生計而兵馬倥傯；但蘇先生福德厚澤，又因緣俱足，乃得以振衣千仞崗，濯足萬里流。眾人或不解其為天地之心，為生民之命之志，輒視彼為異物癲狂，不切實際。然我不以為意，心中竊想，我們的社會是否太過務實，以至於容不了所謂之「異人」？

今聞蘇先生欲出一書法專輯，故為之序，以作為推薦。

於中正大學戰略暨國際事務研究所
二〇二二年十月三日
宋學文

吳序

我是雲林子弟，高中畢業，離開家鄉，臺中就學，臺北就業定居，雲林少有停留，成為淡淡思鄉牽絆之地。人生因緣際遇自有定數，二〇一二年尋找「究好豬」分切廠用地，兆豐銀行梁奕彬經理推薦雲林，購地過程奇蹟般順利，落腳大埤豐田工業區，外地漂泊半生，居然紮根於故鄉，心中既欣喜又感恩，期望帶來新元素，共好鄉里。良作工場，二〇一五年十二月與雲林高鐵站同月開幕營運。

少小離家老大回，陌生的故鄉，必須融入在地人與事，得力於自由時報前特派員陳榮俊先生引見，受邀蘇文寬先生宴席，初次見面，主人為大山電線電纜（股）公司副董事長，留英碩士，卓越企業家。當天來賓約莫十人，俱是碩彥名流，文寬先生任俠遺風，慷慨好客，整治珍饈佳釀，以饗佳賓，席間杯觥交錯，談古論今，言之有物，不愧濟濟多士。酒酣耳熱，高歌清唱，樂器演奏，各擅勝場，正是風雅人物。

人以群分，物以類聚，初識文寬先生，印象深刻，望似知天命之年，精神奕奕，顧盼之間，風流倜儻，豪邁大度，方知乃是太極之勤練愛好者，而有親近之想。之後，多有過從，二〇一七年一月受邀參加先生書法首展，真正認識他的特立獨行，堅毅人生。

事隔有年，首展情景，歷歷在目，文寬先生先來一套太極，似拳似舞，靈動飄逸，演者氣清神凝，拳風徐徐，養性健身。觀者眼首隨拳，上下擺動，左右游移，賞心悅目，博得滿場喝采。太極既畢，先生嶽峙淵停，氣息悠長，馬步微蹲，當眾揮毫如飛龍，以己之筆書寫自家詩詞，拳、文、筆三藝一體，渾然天成，古今一絕。

文寬先生年輕時期，術業專攻，學貫中西，及長，以創新求變的熱情，多元活潑的態度，經營家族企業，縱橫海內外，大放異彩，聲名鵲起，交遊廣闊，端莊不失幽默，深受各方朋友愛戴。商而優則浸潤於藝術文學殿堂，自得其樂，雖非科班出身，但是天資聰慧，才思敏捷，兼以行走世界，視野寬闊，商場歷練厚實，洞察深遠，善為借喻，投入詩詞創作，不數年已有幾千多首，隨著歲月累積，修養豁達，意境更見精鍊純粹。

其創作，不拘一格，見景、睹物、觀人、思事，心有所感，靈光電閃，詩興瞬間爆發，詩意行雲流水，佳作應運而成，平易近人，妙趣橫溢，令人心領神會，愛不釋手。先生更有奇想，為求詩詞雋永呈現，而思自己之筆書寫詩作以資典藏，下大功夫於書法習練，臨摹古帖之際，他特立獨行的基因吶喊著「與其複製，何不開創」，因而改絃更張，忠於自己資質秉性，勤寫金剛經，循序精進，「文寬書法」蔚然成體，或瀟洒輕柔，或磅礴正氣，但見自然樸實，筆鋒優雅，乃成宗師。

縱觀先生成就，突破拘束，動靜自若，不論企業家、太極家、詩詞家、書法家，皆是恰如其份，獨領風華，極簡內斂又鮮明亮麗如囊中之錐，光芒綻放。

欣逢先生創作結集問世，我們一起來欣賞他的詩詞書法，體會他博大精深的正能量，瞭解他推動書法藝術潛移默化人性的用心。

祥圃實業股份有限公司董事長
究好豬共同創辦人
國立中興大學傑出校友
吳昆民

自序

個人詩詞書法作品精選套書即將出版，內心感到十分高興，借此文小小的篇幅，與讀者們分享自己的心情點滴。

我從小就喜愛古典詩詞，從二〇〇九年開始進入詩詞創作的世界，緣於一次搭乘高鐵南北往返途中，用手中iPhone隨興寫了一首如何做好工作及減肥計畫的長詩傳給我太太，竟然得到很大的讚賞。此後筆耕墨耘，逸興遄飛，或與企業管理結合，以風雅、夙慧的方式帶領經營團隊；或藉著描寫自然景物抒發情感；或闡述修練太極拳養身要法。每有新作，旋以簡訊、email方式傳閱眾親友，獲得大家一致好評。

學習書法原是從臨摹書聖王羲之開始，但後來發現單單「之」字就有三種不同寫法，領悟到不應只想著學王右軍，應該要創立具有個人風格的詩詞書法。遂潛心研益，以自己的詩詞為本，書法為體，成就「詩書一體」最原汁原味的作品，傳達內心真實風景。

詩詞與書法結合後感覺很不一樣，就像冥冥之中有上帝最美好的安排，一切創作都源自初心，每天創作都會產生新的樂趣。十餘年來，詩詞作品累積數量已達上千首，也在台北市長官邸、雲科大、南華大學、東華大學舉辦了多次書法展，眼前正是回顧與整理個人豐富創作的最好時機。

作品集能順利出版，首先感謝父母親自幼良好的言教與身教，撫我畜我、長我育我，個人得以與生命中諸多貴人廣結善緣。感謝愛妻喜玲及孩子們對我創作的全力支持，更要特別感謝我的恩師鄭博文教授，在他的鼓勵、指導下，將詩詞書法作品整理印行的願望終於付諸實現。雲科大漢學所翁敏修教授、王世豪教授一年來產學合作案的執行與文獻整理所付出的心力，蔡碧仲次長、林聰明校長、侯春看校長、宋學文教授及吳昆民董事長在百忙中仍撥冗為我課寫序文，為全書倍添光彩，在此一併致謝。

「伯牙鼓琴，鍾子期聽之。方鼓琴，志在山，鍾子期曰：善哉！鼓琴！巍巍乎如太山。志在流水，鍾子期曰：善哉！鼓琴！洋洋乎若江河。」這套作品的圓滿集結，象徵著階段心願的完成，更是鞭策我未來創作不輟的動力。期盼一篇篇、一幅幅作品中展現的書情話意，能得到讀者知音您們的賞析、聆聽！

蘇文寬　謹序

目錄

蔡序　蔡碧仲　一
林序　林聰明　二
侯序　侯春看　四
鄭序　鄭博文　六
宋序　宋學文　八
吳序　吳昆民　九
自序　一一
晨曦早雀　二
千年癡心　六
純香　九
小為先　一二
千年大事業　一五
七夕相思　一八
秋月　二一
海角芬花　二四
蓮品潔香　二六
正氣祥　二九
靜有潔內　三〇
是好酒　三一
冬晴方寸　三四
見海日　三五
心盼　三六
相思踱步　三八
醉在多嬌這香港　三九
有如意現　四二
真心好　四三
酒中醉　四四
北國湖旁　四五
銅來銅往裡　四六
有愛老　四九
茉莉花開醒　五二
若迎朝陽　五三
心醉　五四
冬霜落之一　五五
冬霜落之二　五七
松柏千秋　五八
多彩　五九
思汝若此　六〇
康定情義　六三
忘卻芙蓉　六四
彷彿流星天上落　六五
松下幸之助　六六
要冷冷　六九
我忘醉　七二
香江秋晴　七三
人生幾度季節轉　七六
子夜午時落水聲　七七
謎底　七八
萬里長城　七九
英雄膽　好漢威　八二
只盼期相約　八三
美麗天天　八六
紅葉片　八七
淡淡紅葉片　九〇
萬丈輝　九一

迎頭趕上　九二
雪將冰花　九三
雪將冰花　九四
雪將冰花　節錄　九五
秋風蕭　九六
流水年華　九七
萬翠一紅帆　九八
文有青山綠水　九九
翺翔遊　一〇〇
書卷氣　一〇三
早曦　一〇四
難不相思　一〇七
天籟灑秋香　一〇八
神采奕奕　一〇九
唐宋距今　一一〇
大汗顆顆　一一一
人生幾十冬　一一四
是無憂　一一五
或漸老　一一八
觸筆寫人生　一一九
秋晴白雲　一二二
秋晴　一二五
明月明　一二六
志趣　一二九
心寬納財　一三〇
心柔忘憂　一三一
寂靜星辰　一三二
位在山高望海際　一三三
心靈底　一三六
雨落花潤麗　一三七
看山聽水　一四〇
明月清芬　一四一
浩然初衷　一四四
怎奈　一四五
美境真情　一四六
北國早曦　一四九
太極心法　一五〇
太極拳九字訣　一五三
太極拳心法　一五四
智者仁者　一五五
雲上晨曦星月散　一五七
寰宇萬物彩霞飛　一五八
春空雲來　一五九
朝旭紫紅穹蒼照　一六〇
編後語　王世豪　一六三

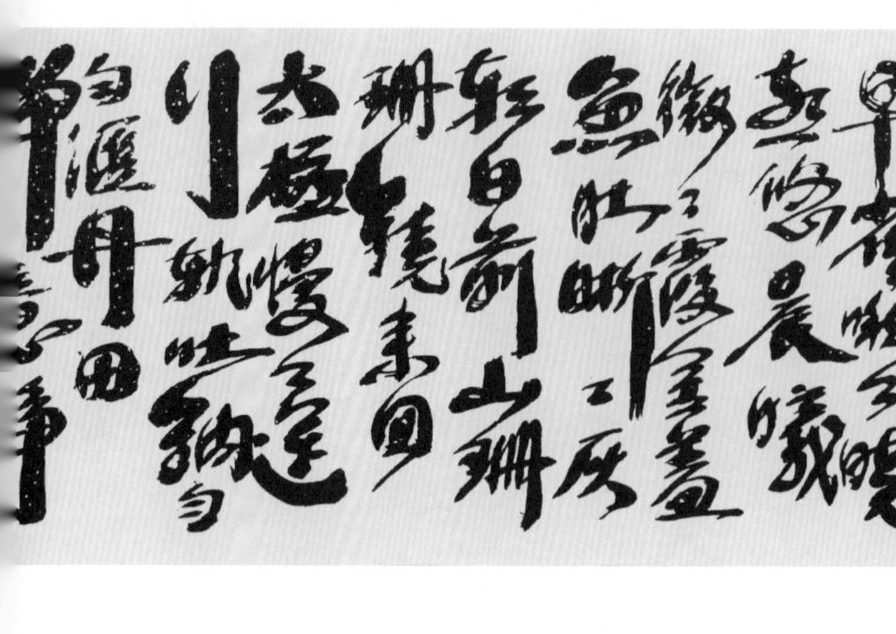

晨曦早雀

釋文

早雀啾啾曉燕悠　晨曦微微霞金蓋
魚肚晰晰灰轉白　前山珊珊繞來回
太極慢慢運行軌　吐納勻勻匯丹田
禪意靜靜入定隨　草原青青帶靦腆
百花齊齊又爭艷　大小回回通天走
紫氣來來西邊梅　松柏蒼蒼迎日立
朝陽暖暖有熱氣　日漸上上正當中
人生長長紫來東

款文

七言樂府　二〇一〇年　春
詩作者蘇文寬書于台北

印文

起首印：大坤福　　名章：蘇氏　文寬

詩情書喻

作者描寫其早晨初醒，練習太極拳法安定身心之景象。

落花詩　　明・唐寅

萬紫千紅莫謾誇，今朝粉蝶過鄰家。
昭君偏遇毛延壽，煬帝難留張麗華。
深院青春空白鎖，平原紅日又西斜。
小橋流水閒村落，不見啼鶯有吠蛙。

本詩題為〈晨曦早雀〉，是描寫早晨初醒，詩人練習太極拳的所見所想。首句以「早雀啾啾曉燕悠」的聽覺起頭，接著轉向眼前視覺，見到「晨曦微微霞金蓋，魚肚晰晰灰轉白」隨即立刻破題點出時空之感。詩人再以「前山珊珊繞來回，太極慢慢運行軌，吐納勻勻匯丹田」寫出真正太極拳鬆、柔、沉、靜，正在山嵐繚繞之際，均勻呼吸吐納，運行太極」，而這太極的奧妙之處，正是可帶領人走入靜靜禪意的境界中。那裡，彷彿有青青草原、百花齊放爭艷；運行全身沛然之氣，或大或小，來回灌注，體內的紫氣源源不決，彷彿青松柏迎日，感受暖暖朝陽沆瀣全身。

該幅作品以橫幅、近似長卷的形制，表現雅致的意趣，在文句與文句間，彷彿形成波瀾起伏的風情。且全篇形式疏密有致，集中在中央「入定隨」三字，更見詩人欲透露的心中真義。觀察全詩詩眼「入」、「定」、「隨」，三字均有捺筆，捺筆較長、較粗，形成結構中的重筆，捺筆似柳葉，頗得徐渭筆法之妙，舒展而瀟灑，正如蘇軾所言的：「真如立、行如行、草如走」。全文行筆節奏舒張有度。前有詩歌體制、創作時期，橢圓雅趣章，為紅泥印，落款創作地點後，作者姓名章位於落款右側。

近代書家包世臣在談用墨時說：「書法字法，本於筆，成於墨，則墨法尤藝術一大關鍵也。墨分五彩，濃淡枯濕焦，由於書體的不同，用墨的方法也會有不同。」書家全幅用墨濃厚粗獷，觀察全詩詩眼「入」、「定」、「隨」，三字均有捺筆，捺筆較長、較粗，形成結構中的重筆，捺筆似柳葉，舒展而瀟灑。文字力距間，章法生動，從「太極慢慢運行軌，吐納勻勻匯丹田」開始，醞蘊氣息，隨氣運行全身後通透悟「禪」，筆同直劃，如劍出鋒稍肥，力穩破紙，入木三分。又直下「靜靜」，如交響樂轟天巨擘，氣勢磅礡，傾瀉而下千軍萬馬，突然靜止如細細涓滴，鬧中取靜，萬籟俱寂卻有入定心緒寧祥和。爾後眼前如見「草原青青帶靦腆」，再看「百花齊齊又爭艷」，走筆如「大小回回通天走」，順暢的「紫氣來來西邊梅」，只至最後「松柏蒼蒼迎日立，朝陽暖暖有熱氣」，一氣呵成，醇醲暢快。

全詩與明代江南四才子唐寅〈落花詩〉頗有意境相類之處，講述「太極逍遙樂養神」的精妙。太極一詞是中國哲學概念。首見於《易傳》：「易有太極，是生兩儀，兩儀生四象，四象生八卦，八卦定吉凶，吉凶生大業。」在《道德經》中，也提及：「人法地，地法天，天法道，道法自然。」詩人〈晨曦早雀〉一首，由自然「早雀啾啾曉燕悠」起句，由實轉虛，進入氣韻靜態，就如「小橋流水鬧村落，不見啼鶯有吠蛙。」所言，也頗有「自然之道靜，故天地萬物生」的道理在。《易經》：「日新之為盛德，生生之謂易。」在詩人之詩文中，更見其「似有為、實無為」

的感悟。

作者將練太極拳時感官領略與心靈意識結合，走筆紙上，橫幅的文字波瀾上，更可見其心緒以及氣運行的脈絡與軌跡，疊字的詩意蔓漫，隸定後更見文字組建的藝術巧思，可謂融文氣、拳風、詩意為一體。

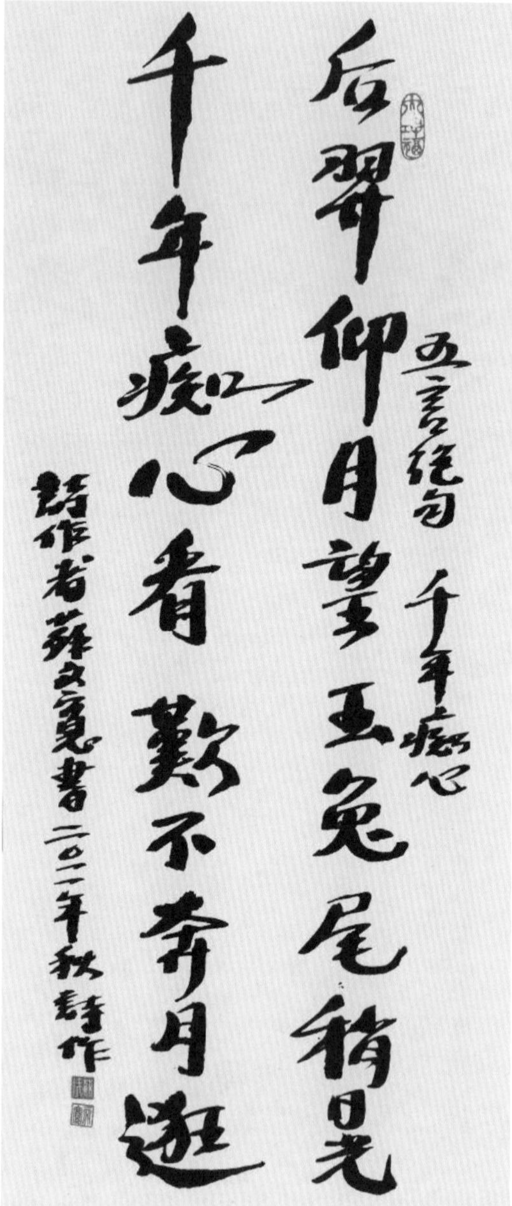

千年癡心

釋文

后羿仰月望　玉兔尾稍晃　千年癡心看　歎不奔月逛

款文

五言絕句　千年癡心　詩作者蘇文寬書二〇一一年秋詩作

印文

起首印：大坤福

名章：蘇氏　文寬

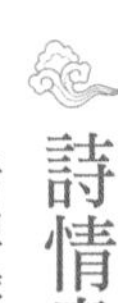

詩情書喻

后羿癡心的望著明月，只見玉兔的倒影，內心期盼著嫦娥的到來，同時感嘆自己無法追到月亮去到嫦娥的身邊。以詩寫下兩人彼此相思卻無法相見的念想之情。

嫦娥　唐・李商隱

雲母屏風燭影深，長河漸落曉星沉。
嫦娥應悔偷靈藥，碧海青天夜夜心。

唐代李白〈靜夜思〉：「床前明月光，疑是地上霜。舉頭望明月，低頭思故鄉。」月亮好像都一直被許多文人作為情感的寄託。李白在客居他鄉、看到月亮之後，突然思鄉之情油然而生。本詩內容以古今中外常見的嫦娥、玉兔、后羿為詩文主軸，定題「千年痴心」，就內容而言，為全詩定調為歌詠愛情、訴說思念的詩作，詩中語言含蘊，尤其「癡」、「歎」，情調亦是感傷。

該幅作品以立軸方式，左右兩行，一行十字，綿延出五言絕句，規格整齊。前有詩題，上款引首印為雅趣閑章印，朱砂泥印；後有同書家題名及書作時節，下落款兩印姓名章。色澤鮮明，沉厚不走油。一橢圓兩方印，大小匹配，相映分配得宜。

全詩走筆行氣大小、粗細、疏密、潤燥，保持對等的映照關係。第二行起頭「千年痴心」乃全詩詩眼，「千」字以「順入」起筆，筆鋒順流而下，起筆處略有稜角，成方頭筆畫，線條剛毅，流暢優美，折入的筆尖收於末端，瀟灑不滯。「痴」筆劃收於口脫出一痕墨色，更顯得出「痴」，拖出一筆，表現心靈暗寓意，「心」字則為筆畫有力，同時澀勢用之感，行中留，留中行，墨色飽滿、氣力充裕、形態完整。詩題「五言絕句 千年痴心」與落款「詩作者蘇文寬書二〇一一年秋詩作」分佔左右兩側，重量分佈中庸平均，和諧開闊。

本詩作可視為李商隱〈嫦娥〉一詩跨越千年後複刻再作，並以思念的心橫跨古今。首兩句「后羿仰月望，玉兔尾稍晃」就以典故入詩，后羿望月永夜不寐，月亮上陰影的最暗處，就如同如同傳說中玉兔的身影。人在「思念」時的心情，即使經過千萬年都不會變，「千年痴心」與「碧海青天夜夜心」互為呼應。歷久不墜、千萬年的真心意？「歎」字顯現寂寞包圍的意緒，望月應是團圓共賞，但心愛的人卻無法相見，歎息聲也將愁苦的心緒化成濃蘊氣息吐出。全詩沒有多餘雕琢，沒有李商隱原詩「雲母屏風」、「蠟燭殘影」等借物抒情的手法，也沒有任何的實際物品入詩，可謂擺脫塵俗，追求高潔的境界，在此也這裡被詩人用含蓄的語言成功表現出來了，這是一種含有濃重、傷感的美感藝術，也正為典型詩歌的心靈獨白。

詩人以「千年痴心」串起全詩，詩中所抒寫的孤寂感以及情緒，卻融入了獨特的現實人生感受，而含有更豐富深刻的意蘊。

純香

釋文

禪在花蕊中　花瓣皆來修　綠葉盎然樣　沁花蕊純香

款文

五言絕句　純香　詩作者蘇文寬書二〇一二年　秋　詩作

印文

起首印：大坤福

名章：蘇氏　文寬

詩情書喻

作者以綠葉與花朵來形容其愜意自在的心情。

江畔獨步尋花　其六　　唐・杜甫

黃四孃家花滿蹊，千朵萬朵壓枝低。
留連戲蝶時時舞，自在嬌鶯恰恰啼。

禪由心生，修心修禪，感悟世間美好。佛教禪宗曾言:「一花一世界，一葉一如來。」一朵花，由內而外依序是花蕊、花瓣與綠葉；花蕊象徵「心」，萬物皆由心生，進而化相；花瓣象徵「行為」，紅塵世俗終歸一，反璞歸真乃真理，「花瓣皆來修」，修的便是禪意；綠葉象徵「表象」，修得禪意，生機蓬勃，綠葉自然盎然。整株花象徵「世界」，因由內而外綿延的禪意，一切皆豁達。詩名「純香」，同時亦為詩眼，「純」指純粹單一，表心念毫無雜質，「香」指禪意。整篇藉由「花」傳達「禪意」的清幽恬淡，心境上的自在愜意。

該幅作品以立軸方式呈現，左右兩行，一行十字，為一首五言絕句。清新寡淡的禪意，藉由行雲流水的行書流露而出；全詩版型始輕末重，恰似以「人」為本，下盤穩如泰山，才能腰直背挺，蒸蒸日上。上款引首印為雅趣閑章印，朱砂泥印；後有同書家題名及書作時節，最後落款，兩方印姓名章不在落款下，而鈐於其側。

全詩書法筆法似行書、似楷書、似草書，恰如同作者在賞花過程中走走停停，獨樹一幟。在「禪、中、瓣」三字的結尾不僅用墨濃重，筆鋒順勢而下一氣呵成，可見作者對於內心自我成長的肯定，也見對此想法如此的執念；「修、然」的末端原是三筆與四筆畫，但書家卻都使用了一筆畫勾勒出來，喜悅之情可想而知，活靈活現的同時不失一貫的端莊穩重，掌握了「靜」與「動」之間微妙的平衡「沁」與「蕊」中皆有「心」字，書家在心字的最後一點上，下筆厚重，傳達出「心」之重。做為詩眼的「純香」二字卻顯得中規中矩。可見作者深知人外有人，天外有天的道理，並不因為一時的長進而得意忘形，卻也不畫地自限，止步於此。

全文對於「花」字一共使用了三次，而「葉」只使用了一次。符合杜甫〈江畔獨步尋花〉中：「黃四孃家花滿蹊，千朵萬朵壓枝頭」的敘述。在萬綠叢中一點紅的觀點中，花團錦簇使之更能體現愜意自在的心情。「留連戲蝶時時舞，自在嬌鶯恰恰啼」是杜甫同詩中的下兩句蝴蝶活在當下，美麗轉瞬即逝；而作者因花留連，也因花而悟。留連花的美；更因美而道。此「道」並不依俗世對詩人之評價，對應「恰恰啼」乃是詩人在內心悟道時的喜悅心情。不同於杜甫對於美景的敘述，本文著重在心態上的成長。悠然自得的心情體現在「香」字。在「修、禪」兩字的形容下，詩人自身的體悟似乎也不言而喻，豁然開朗。

「禪」是本文主要傳遞的核心，也是全詩詩眼，藉由作者的體悟，借景抒情，將「禪」用花作比擬，從花蕊到綠葉一層一層帶出，最後用「純香」收尾，寓意純粹而愜意的自在心境。

小為先

釋文

大要尖端有頂天　豈能踩小自為尖　人生有容方乃大　恰若尖字小為先

款文

小為先　丁酉年初　蘇文寬詩作書于雲林

印文

起首印：大坤福

名章：蘇氏　文寬

詩情書喻

人不能夠自視甚高，必須隨時隨地的見微知著且自我精進，並同時學習接納他人。

時任兩廣總督題聯　　清・林則徐

海納百川，有容乃大。
壁立千仞，無欲則剛。

「拆字」一向是中國歷代文學的典型手法，而本詩篇則破格地將單純的「拆字」提升至滿篇幅的格局，並巧妙地帶出其蘊含之核心思想——謙遜。在「尖」字之下，乃是一「大」；無論是金錢、事業、家庭，人一生的拼搏，無一不是朝著「大」所前進。但「尖」字之上，仍有一「小」；在一心追求「大」的同時，若沒有「小」與之同行，最終則難同「尖」字般脫穎而出、頂天立地。詩人用以警醒世人，即便一個人擁有「大」的底蘊，仍不可忘記「小」的謙遜。

該幅作品以立軸方式作呈現，跳脫過往七言絕句的排列模式，以兩句十四字為一組並列，別出心裁地將「小」、「為」、「先」這三字獨立於文末再次點題，頗具畫龍點睛之效。上款引首印為雅趣章印，朱砂泥印；後有同書家題名與書作地點，落款後下兩印姓名章。全幅共三印。

全詩走筆格局正大、用墨潤燥相宜。書家將巧思注入前後兩個「大」字，刻意地在回鋒時不藏鋒收筆，反而頓筆回鋒，將飽滿墨色留在捺筆末梢，暗喻世人心中的「大」往往是如此地不可一世，甚至終將導致自己的失衡；「天」字亦採用了相同的手法。相較之下，「尖」字則因其上半的「小」字，使得整個字型不再如此鋒芒畢露、頭重腳輕，再次象徵著「小」之於「大」乃至於待人處事之間，人們必須深諳之智慧。

清代林則徐道：「海納百川，有容乃大。壁立千仞，無欲則剛。」「謙遜」一直都是華人老祖宗最重要的訓言之一；後世有「驕兵必敗」、「傲卒多降」等成語字句，也早已深切扎實的烙印在每個人心中。林則徐的文字告訴世人，能夠含納湍急的百川，才能顯示出大海的包容。本詩作再次重申了這樣的教誨，提醒大家在追求「大」的同時，也不可以忽視了「小」的美德。雖說已是如此根深蒂固的教訓，全詩文字卻毫無陳腔濫調之嫌，反倒使用了相當精準的「拆字」手法再次強化了這樣的信息。其中非常值得玩味的一點是，在兩組成對句中都分別使用了一個「大」字和一個「小」字，並且都是「大」字在前、「小」字在後，這也正好反映出了一般世人心中的盲點：只專注於「大」，卻忽略了「小」，進而導致失衡；這般有意錯誤放置的順序，正好能在一次地用來提醒讀者，虛懷若谷之於人生的重要性。亦如清代鄭燮所言：「虛心竹有低頭葉，傲骨梅無仰面花。」願意謙虛和低頭，才是會被眾人景仰、萬古流芳的美德。

作者以奧妙的中國文字作為工具，帶出「謙遜」的主軸；從內容、文句排列乃至書寫筆法都一一完美對應到了這個主題，接續著先賢的意志，期許自己、好友，甚至是世人，永遠別忘了保持這樣的美德。

千年大事業

釋文

靈犀就在一點通　千山萬水也心動　文章千年大事業　盛舉文化共襄拱

款文

千年大事業　丁酉年元月三日　蘇文寬詩作書于台北

印文

起首印：大坤福　名章：蘇氏　文寬

詩情書喻

寫作靈感源自於瞬間的感受，即便是日常光景也能有所領悟。
好的文章就如同千年事業，能夠永久流傳並為世人所推崇。

遣興　　清・袁枚

但肯尋詩便有詩，靈犀一點是吾師。
夕陽芳草尋常物，解用都為絕妙詞。

本詩題為〈千年大事業〉，內容在說明寫作的靈感來自於生活中各個瞬間的感受。即使是日常生活也能迸發出很好的寫作靈感，而擁有很好的靈感就能寫出好的文章，好的文章又如同流傳千古的事業一般，能夠流芳百世並受後人所推崇。杜甫〈偶題〉中也如此寫道：「文章千古事，得失寸心知。」意謂文章表達的是作者本身的思想，故文章是存世千古的事情，好的文章所帶來的影響相當深遠，所以要把寫文章看成能夠傳之千古的宏大事業。

該作以立軸的方式展現，左右兩行，一行十四字，每一段七字，整體詩作在七言絕句的架構中，規格嚴謹而整齊。上款引首印為雅趣印，朱砂泥印；後有同書家題名及書作地點，落款下置兩朱砂泥印姓名章印，共一橢圓兩方印。

書法中，墨分五彩，且其有濃淡枯濕焦之分，所以要判斷一幅好的作品，需要有豐富且準確的墨韻表現，同時墨也要隨著書寫內容、情感的變化而改變。在此篇當中對於墨的運用相當勻稱，每字都在一個合宜的範圍內，而這也體現出其詩的創作靈感，因為靈感起源於日常光景中，故不會有太明顯的情緒波動，對於墨的運用也會相對穩健。此外，行筆的節奏也能反映出在書畫的過程中力度和提按的變化，這個變化是基於作者在書寫之時的心裡活動而所呈現，而每一種字體皆有與之對應的節奏，有的字體行，不一樣的內心活動或是雲流水；有的作品稜角分明詩所想表達的意境，呈現出來行筆的節奏和字體都會有所不同。而此篇正如詩的核心一般，因為是圍繞著生活週遭的事物，故不會有太過豪放的字體，亦或是在字體上有太過獨特的設計，因為是環繞我們之日常生活，字體上整體看上去給人的感覺較為溫柔一些，而這也體現出書家把字體和詩的內容融合為一的巧妙。

「但肯尋詩便有詩，靈犀一點是吾師。夕陽芳草尋常物，解用都為絕妙詞。」此為袁枚〈遣興〉之作和此篇傳達的意象有不謀而合之意。但其中〈遣興〉更多的是在描述關於靈感來自於日常的生活，我們只要肯去尋找詩的靈感就會發現其實它們遍佈在我們的日常中，像芳草、夕陽這般平常的景物，只要懂得如何使用，都能成為絕妙好詞。而此篇的前半段也與〈遣興〉相同，皆在描述靈感都在我們身邊，它們來源於日常瞬間的感受，但不同的是，此篇後段所書寫之語句，將整首詩帶入了另一個不同的含義及層次。正呼應篇名〈文章大事業〉，文字是永恆的，所以由文字所構成的文章也是永垂不朽的，而好的文章是更能夠影響人類、能夠流芳百世，為後人所稱頌。

作者將日常生活中的感受做為詩的靈感，其和過去的古典詩在理念上有異曲同工之妙，但作者又在此基礎上增加了自己的想法，表達了好文章能流傳千古的理念，在內容上古今融合、立意巧妙，形制上在框架之中卻又不失巧思。

七夕相思

釋文
七夕牛織相思衷　秋月也近星辰鐘　再現楓紅接冬季　青絲消失白雪峰

款文
詩作者蘇文寬書于美國　二〇一七年九月

印文
起首印：大坤福　名章：蘇氏　文寬

詩情書喻

入秋七夕時節，牛郎與織女終能重逢，對彼此的思念綿延不盡。時間一到兩人便要各自回到銀河的兩岸，思念如織女青黑色的髮絲緩緩的消失在白雪靄靄的冬日。

七夕夜女歌　佚名

婉孌不終夕，一別周年期。
桑蠶不作繭，晝夜長懸絲。

本詩題為〈七夕相思〉，內容寫入秋七夕時節，牛郎與織女終能重逢，對彼此的思念綿延不盡。時間一到，兩人便要各自回到銀河的兩岸，兩人的思念，像是織女青黑色的髮絲，緩緩的消失在白雪靄靄的冬日之中，青絲也像白色的月光一樣漸漸變白，如李白〈將進酒〉：「君不見黃河之水天上來，奔流到海不復回。君不見高堂明鏡悲白髮，朝如青絲暮成雪。」之情思。

該作以立軸的方式展現，共三行，一氣而下寫完全部詩作，不刻意分段。第一行十二字，第二行十字，第三行六字，配合「消失白雪峰」的詩句，字句漸短、漸少，呈現視覺上的漸層形式之美。本幅未有詩題，上款引首印為雅趣閑章印，朱砂泥印；後有同書家題名及書作時節，落款走雙行，在時間處下兩印，共一橢圓兩方印，佈局完整。

本帖為七言絕句，而字字筆力蒼勁墨色飽滿，顯露出書家點畫渾然的工夫。首二字句「七」、「夕」點出時間，字線急促，配合朱砂泥印印「大坤福」，更顯主題。其下「牛」、「織」二字略小，「相」、「思」、「衷」三字點出全詩重點，「思」字之心，側筆相連，情意無限，「衷」字之磔筆綿長，墨濃依舊，濃情甚深。最後「消失白雪峰」，「消失」筆跡孤清，「白雪峰」流利如迸，尤其「峰」字，粗濃圓轉，真如雪峰突出，通觀全篇用筆濃致有度，一氣呵成，墨氣連貫，用字轉筆隨著詩情跌宕變化，達到了藝術形式與內容的完美結合。

古來稱頌七夕詩詞頗多，詩意多透過牛郎織女一年一會，書寫相思的心情，如漢〈古詩十九首之一〉：迢迢牽牛星，皎皎河漢女。纖纖擢素手，札札弄機杼。終日不成章，泣涕零如雨。河漢清且淺，相去復幾許。盈盈一水間，脈脈不得語。」或是〈七夕夜女歌〉：「婉孌不終夕，一別周年期。桑蠶不作繭，晝夜長懸絲。」古人為思念用盡筆墨，刻骨銘心，詩人也透過這首詩作，除了表達相思之情，也以秋月、楓紅、白雪等意象，展現對於秋去冬來，時光荏苒消逝的感嘆。最後一的「消失白雪峰」，實景是寫以白雪杲杲的寫皎潔的月色，虛景則是聯想於織女因為思念，一頭青黑色的髮絲，與白雪、月色一般轉白、消逝。這用虛實交融的手法，又寫月光、也寫冬景，更寫思念，有情、有景、有真意。

作者將古來不朽的主題「七夕」，以舊酒裝新瓶，推陳出新，但舊酒越陳越香，尤其詩作融入個人的對於時空的感受和對時光流逝的感傷，還有季節的更迭，做為詩的靈感，與過去古詩在概念、理念上一脈相承，但作者又在此基礎上增加了自己的想法，表達詩文流傳千古的理念，在內容上古今融合、立意巧妙，形制上在框架之中卻又不失巧思，書法走筆圓潤貫通，濃墨象徵濃情，從一而終，綿延不斷。

秋月

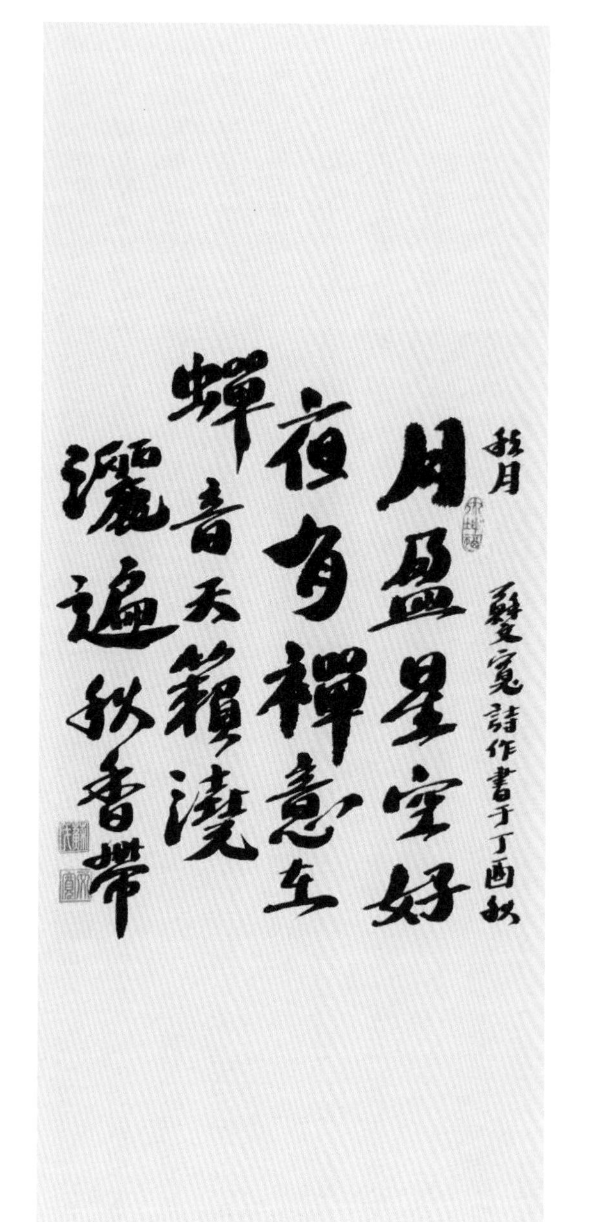

釋文

月盈星空好　夜有禪意在　蟬音天籟澆　灑遍秋香帶

款文

秋月　蘇文寬詩作書于丁酉秋

印文

起首印：大坤福

名章：蘇氏　文寬

詩情書喻

於初秋夜晚，明月與繁星高掛在天空，蟬聲嘶力竭的叫喊遍佈四周，絢爛綻放生命的剎那。

早蟬

唐・白居易

六月初七日，江頭蟬始鳴。石楠深葉里，薄暮兩三聲。
一催衰鬢色，再動故園情。西風殊未起，秋思先秋生。
憶昔在東掖，宮槐花下聽。今朝無限思，雲樹繞湓城。

本詩篇名為〈秋月〉，主要內容描述在初秋的夜晚，明月與星空高掛在天上，而蟬的鳴叫聲環繞四周。開頭便描寫景色，有閃耀的星星和明亮的月。第二句的夜點出了時間並表現出「禪」意，代表者晚上的景色以及當時的寧靜平和之感，而此種「禪」意也突顯出後面蟬鳴究竟有多大聲，以周遭環境的安靜反襯出蟬鳴的聲嘶力竭。而天上的月亮可以存在於世非常長一段時間，但相反的，地上的蟬壽命卻非常短暫，所以牠更要大聲的鳴叫讓世人都聽到牠的聲音，使其短暫的生命在這世界留下濃墨重彩的一筆。

該幅作品以立軸的方式呈現，分為四句，每句五個字，開頭字水平不一，有高有低的設計使得書法呈現上更為靈活。前有詩題，創作地點、時間，字略小，上款引首印為雅趣閑章印，朱砂泥印；未有落款，但後下兩印姓名章，一反落款制式，頗有奇趣。

用墨的方法是鑑賞書法藝術的其中一個關鍵，此篇整體用墨濃厚，其中開頭之第一個「月」、後端之「禪」與「蟬」三者在此篇在書寫上字體都相對的顯眼，而這三字也為本詩之重點，月呼應詩題之〈秋月〉，而禪表現出安靜平和的意象，以此帶出蟬在夜晚中大聲鳴叫的意象，簡單的三個字便能解釋並且貫穿詩題全文，此設計相當的精妙。

〈秋月〉雖詩題為月，但蟬在其中所代表的意象也是相當重要的，而過去同樣在描述蟬之詩為白居易的〈早蟬〉。白居易詩中寫道，農曆六月正是炎熱之時，江邊樹上的蟬已經開始鳴叫了，蟬躲在樹夜裡，到了傍晚就開始鳴叫，而當聽到蟬鳴作者忍不住悲從中來，因為他想起過去還在東宮任職之時，總會站在樹下聽蟬的鳴叫，所以蟬鳴會令其感到悲傷，因為他想到過去的時光就越發覺得自己已經回不去從前的時光。

〈早蟬〉中的蟬，所代表的意象是令人感到悲傷的，因為牠會使詩人想起過去那些美好的時光，對他來說聽到蟬鳴是觸景升級，是懷念那些回不去的時光，是會讓他充滿了無限的愁緒讓人透不過氣來。但同樣是描寫蟬這一生物，本篇的蟬給人的意象卻更積極。因為作者寫蟬的鳴叫聲充滿著各處，而雖然天上的月亮、星空是恆久不變的，相較之下顯得蟬的生命是那麼的短暫，但蟬不會就此而嘆息然後放棄，反而是更努力的大聲鳴叫，就算來到這個世界的時間很短也沒關係，只要在這短暫的時間能夠宛如燦爛的煙火一般精彩，那也就值得了。兩者同樣都有寫景、都有描寫蟬，但帶給讀者的情緒和意象卻相去甚遠，所以物體本身是客觀的，但我們的情緒卻是主觀的，心裡所包含什麼情緒便會看到怎樣的風景。

作者開頭描述點出當時的景色，中間段提到關於「禪」的意象，並由此帶出作者描述蟬如何的鳴叫；巧妙使用禪寧靜的意象突出蟬吵雜的聲響，直是「蟬噪林逾靜，鳥鳴山更幽」的反襯手法，能夠使景與詩意融為一體。

海角芬花

釋文

葉翠鮮綠紅桃大　麻雀飛將　青山這邊達　樹梢絮柳搖若華　海角那裡有芳花

款文

詩作者蘇文寬書丁酉年秋

印文

起首印：大坤福

名章：蘇氏　文寬

詩情書喻

深刻描繪繁盛綠葉、鮮嫩紅桃、群山飛鳥的春日景象。

秋涼晚步　　宋・楊萬里

秋氣堪悲未必然，輕寒正是可人天。
綠池落盡紅蕖卻，荷葉猶開最小錢。

本詩題為〈海角芬花〉，以翠綠嫩葉、鮮嫩紅桃、群山飛鳥以及樹梢上的柳絮等等景物來描繪春日景色。從詩詞開頭就提到「葉翠鮮綠」、「紅桃」等意象來表示秋日的景象，而中間又提到飛翔的麻雀，以及遼闊的青山，「柳樹」更是代表著春天的來臨，最後一句「海角那裡有芳花」點出本詩篇之名。

該幅作品以立軸的方式呈現，書法呈現上總共分四句，每句字數不一。作品傾瀉而下，從青山寫到海角，前未詩題，上款引首印為雅趣章印，朱砂泥印；後有同書家名及書作年份，落款後兩印姓名章，不在最後，而在在其側，字體隨章色曲奇轉折。

本詩與筆墨走勢呈現交融為文字詩畫，開頭皆不在同一水平線上，是像階梯一般逐漸向下，跳脫常規形式，觀看時感到耳目一新。並且其中葉翠、紅桃二字在字體設計中相較其他字詞更為突出，而此篇旨在描繪春日之景，而這些意象代表者春天的的景色，因此特別突出詩詞中欲強調的語詞有助於烘托本篇主要想表達之內容。此外，最後一句海角「有」芳花的有字特別顯眼，而這一字上承代表者春天的柳絮，下接海邊所長的芳花。

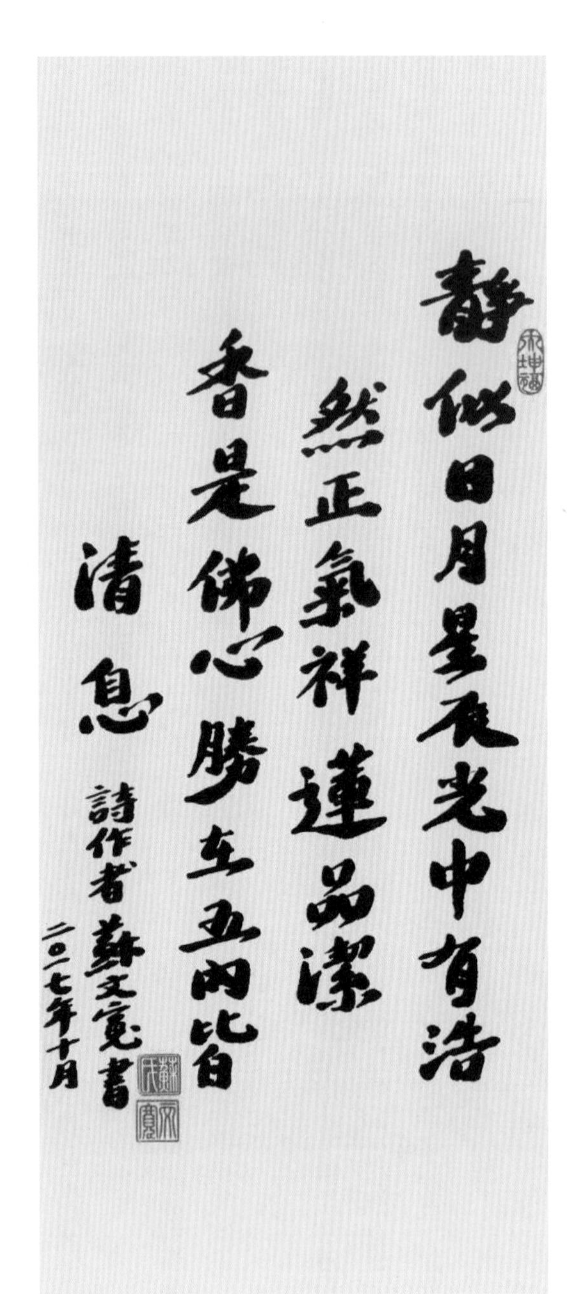

蓮品潔香

釋文
靜似日月星辰光　中有浩然正氣祥　蓮品潔香是佛心　勝在五內皆清息

款文
詩作者蘇文寬書　二〇一七年十月

印文
起首印：大坤福
名章：蘇氏　文寬

詩情書喻

內心安靜的如夜晚的日月星辰，其中擁有剛正不阿的氣勢與純粹高潔的品格，而五臟六腑內的清靜為最理想的狀態。

北風吹　明・于謙

吹我庭前柏樹枝。樹堅不怕風吹動，節操棱棱還自持，冰霜歷盡心不移。況復陽和景漸宜，閒花野草尚葳蕤，風吹柏枝將何為？北風吹，能幾時？

本詩內容主旨在描述詩人擁有剛正不阿的氣勢與純粹高貴的品格，後面用內心狀態及身體裡五臟六腑來比喻自身高潔的品性。而詩中寫道，他的內心安靜的就宛如只有日月星辰作伴的夜晚，而對他來說五臟六腑保持清靜就是最理想的狀態。不管是心理以及生理狀態的表述，其實皆為作者在暗喻其不畏權貴，擁有剛正不阿的高貴情操。

該幅作品以立軸的方式呈現，但並非傳統中每句具有固定的字數和句式，雖然每段皆字數不同，甚至最後一句僅僅只有「清息」二字，但此詩以「靜」做為此章書法中作為最顯眼的地方，可見「靜」這個意象在此詩的重要，並且最後一段只放了「清息」二字。書家並沒有規整的把其放在最後一段的最後兩字，也是可見書家在此篇中對於「清息」概念的突顯。前有上款引首印為雅趣閑章印，朱砂泥印；後有同書家題名及書作時節，落款後下兩印。

不一樣的文章立意會對應書法不同的書寫風格，有的文章需要行雲流水的字體，有的文章需要稜角分明的字體，此篇重點在於開頭最明顯的「靜」，以及由蓮花所帶出暗喻書家本人內蘊的「正氣」，加上最後一段的「清息」。因為這幾種字詞所代表的意象大多都比較規正，而這一點也很好的反映在書法的呈現上。此篇在書法美學上整體給人的感覺較為規整，字體安靜樸實，但平實的書寫方式帶給觀看人的感受也會是相對比較安定，也與此詩想突出的地方不謀而合。

周敦頤在〈愛蓮說〉中提到：「愛蓮之出淤泥而不染，濯清漣而不妖。」故蓮花普遍帶給我們的印象是，即使生長在充滿淤泥的環境，也能不被泥濘污染出落成美麗的花朵。因此蓮花普遍在我們的印象當中即有品性高潔的形象，而本篇篇名為〈蓮品潔香〉，所以作者就已在篇名點出內文之重點。明代于謙之作〈北風吹〉，也使用植物的意象來表達內心的感受，「吹我庭前柏樹枝。樹堅不怕風吹動，節操棱棱還自持……」其中提到的柏樹也和蓮花具有相似的意象，雖然生長在極寒之地，卻依舊生長的堅硬挺拔，素有正氣高尚的形象，而在此篇也有使用正氣去形容蓮花的品潔。

以格式來說，兩者都並非規格整齊的詩作，都在結尾之處有比較特別的設計。〈北風吹〉在最後一段寫道：「北風吹，能幾時？」意為北風即使現在吹的再怎麼猛烈，春天也早晚會到來的，和此詩所表達的意涵前後相連。本篇最後一句唯一的一個詞「清息」，因為此篇所想表達的主旨是為作者擁有剛正不阿的氣節以及高潔之品格，故特別突出清息二字以此呼應前段之意涵。

作者運用心理狀態以及生理狀態來表示其本身所擁有之高潔的品格，以日月星辰的平靜安穩之感來表示自己內心穩定，然後又表自己的五臟六腑的清淨而無污穢之物，以兩者結合表述自己有像過去的詩人一般的風骨。

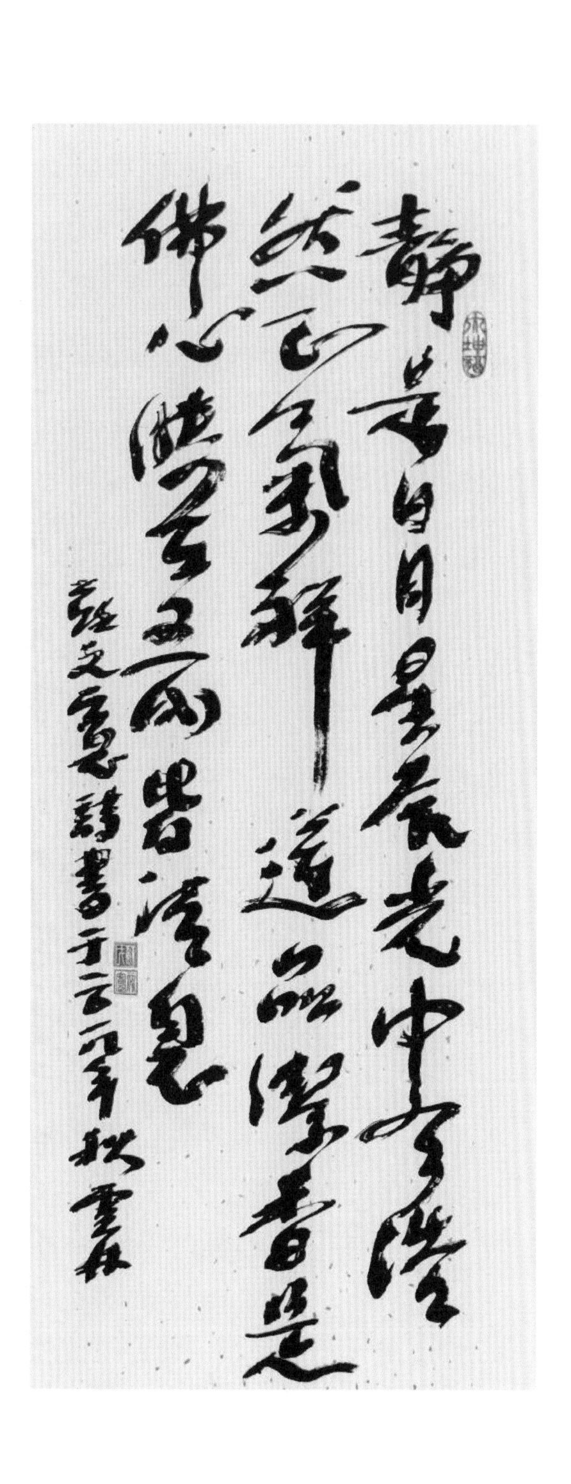

正氣祥

釋文
靜是日月星辰光　中有浩然正氣祥　蓮品潔香是佛心　勝在五內皆清息

款文
蘇文寬詩書于二〇一八年秋　雲林

印文
起首印：大坤福
名章：蘇氏　文寬

靜有潔內

釋文
靜是日月星辰光　中有浩然正氣祥　蓮品潔香是佛心　勝在五內皆清息

款文
七言絕句　靜有潔內　詩作者蘇文寬書于台北　二〇一九年　仲夏

印文
起首印：大坤福　名章：蘇氏　文寬

是好酒

釋文

簡醇有意是好酒　氣勢磅礴雲霄遊　早曦霞光灑滿地　百山盛開青山久

款文

七言絕句　是好酒　詩作者蘇文寬詩于二〇一七年　冬

印文

起首印：大坤福　名章：蘇氏　文寬

詩情書喻

以醇酒帶出輕鬆自在的心情，後兩句以霞光、青山刻劃早晨時光之壯麗景色。

春行即興　　唐・李華

宜陽城下草萋萋，澗水東流復向西。
芳樹無人花自落，春山一路鳥空啼。

本詩題為〈是好酒〉，詩人以醇酒開頭帶出詩人輕鬆自在的心情。後半段描寫霞光以及青山，刻畫早晨山景的磅礡壯麗之貌。全詩絕大部分篇幅皆在寫景色之美，並沒有直接點出詩人當下心情如何？但從篇名〈是好酒〉就能感覺到詩人當時心情輕鬆，因為如果當下詩人的心情不暢，即使手上有再甘醇的美酒他也無法感受其美好；即使山上的晨景再壯闊美麗，也無心欣賞。景色本身雖是客觀的，但人的主觀意識卻也是會影響我們所看見的世界。

該幅作品以立軸的方式呈現，以詩詞特點分析，雖是每句七言的模式，在書法的編排上卻把四句話變成了總共三段，中間沒有停頓及分行，這樣也同樣是跳脫了傳統七言的排版方式。前有詩題，上款引首印為雅趣閑章印，朱砂泥印；後有同書家題名及書作時節。落款兩行，後在時間處下兩印姓名章，共一橢圓印、兩方印。

本詩大多在寫景，但也在寫山景的同時表露出作者輕鬆自在的心情。在書法字體上也能看出，幾乎每字結尾都會有相當明顯的用筆設計。這種把字撇出字體本身的框架的巧思，整體文字看起來行雲流水，沒有束縛，顯示文字與內容結合的瀟灑姿態。並且墨色運用錯落有致，粗細明顯。

本篇後半段描述早晨山上的景色有多麼的壯麗震撼，雖沒有直接描寫詩人見此山景之心情，但卻能從詩句中推測出其當時的心情是相當輕鬆且愉快的。而類似此種不直接描寫心情，而透過寫景來推敲作者真實的心情，此種寫作手法和李華之作〈春行即興〉有異曲同工之妙。〈春行即興〉所描寫的也是美好的景色，像是芳樹、春花、鳥啼等看似春天美好的意象，但和其他詩句結合在一起就顯得特別的荒涼。其原因是因作者在看到景色的當下心情就已經不甚美麗。即使他眼前是再美好的春景，也只會令人想到，這種美好的景色因為朝代的更迭早已物是人非，春色再美好也沒有人欣賞。兩首詩所描寫皆是美好的景色，但從李華的文字中卻能從之感到哀戚之苦，而本篇透露出來的卻是令人感到輕鬆愜意的情緒。李漁〈窺詞管見〉有云：「詞雖不出情景二字，然二字亦分主客，情為主，景是客。」李漁所說的這段話描寫的就是這二首詩的意境，雖然全篇看似都在寫景，但卻能從中感受到詩人當下的情緒。

作者全篇以寫景為主，從醇酒配壯麗的山景帶出作者輕鬆愜意的心情，這種「說景即是說情，非借物遣懷」的手法很可以反映出景物即使美麗，緣情入景、情景交融，以凝練生動的筆墨，寫出了三峽的雄奇險拔、清幽秀麗的景色。作者抓住景物的特點進行描寫。寫山、寫晨曦「早曦霞光灑滿地，百山盛開青山久」，以光彩照人，盛開青山、長久連綿的特點，寥寥幾字，青山萬千氣象、光彩犀照、酒香醇韻，盡收筆底。

冬晴方寸

釋文
含情脈脈赤崁樓　早出還是莊稼多　寒冬空晴方寸間　最是晚歸早出否

款文
七言絕句　冬晴方寸　詩作者蘇文寬書于二〇一八年二月

印文
起首印：大坤福
名章：蘇氏　文寬

見海日

釋文

半壁見海日　中空聞天鷄

款文

蘇文寬書于登山晨起時　二〇一八年二月

印文

起首印：大坤福

名章：蘇氏　文寬

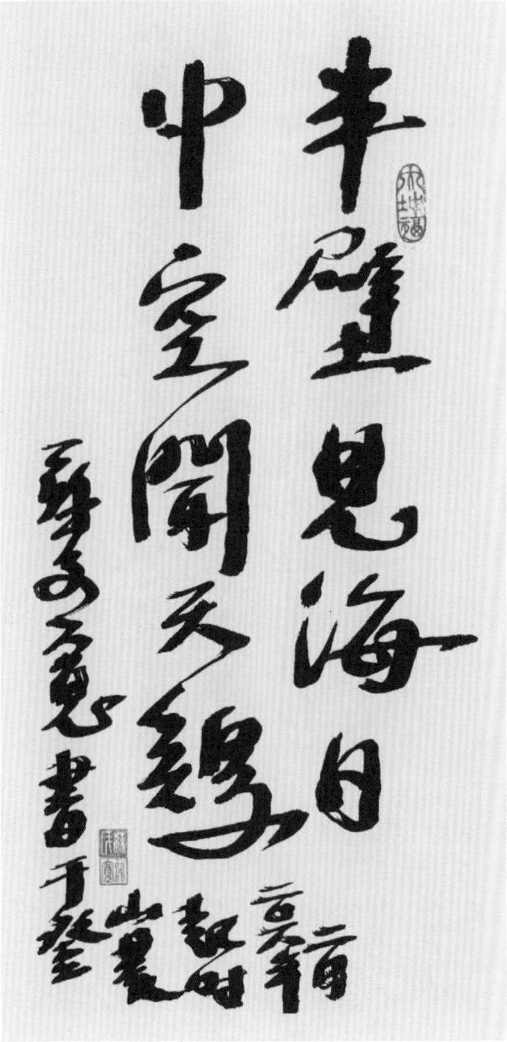

心盼

釋文

心盼茉莉何時花開
幾度欲澆多次祈待
心想事成或可加持
清香飄來花也自在
每星夜空盼魚肚白
一早便探茉莉花開
雖得涼風拂來清淨
茉莉早開仍最期待

款文

八言詩　心盼　詩作于美國
矽谷二〇一一年六月　蘇文
寬書于台北二〇一八年三月

印文

起首印：大坤福
名章：蘇氏　文寬

詩情書喻

本詩呈現作者對於茉莉花開的期盼，以魚肚白借指早晨天剛亮之景色。日日夜夜盼望著茉莉花何時綻放，將焦急的心情以輕柔的詩句描寫出來。

茉莉花　　台・謝尊五

由來嘉種出波斯，潔白花開首夏時。蓮瓣小還成玉質。荼蘼瘦亦比冰肌。
欲蒸瓊液華顏駐。懶貫銀絲寶髻垂。裨海栽移今獨盛。香添茶味利無涯。

相思踱步

釋文

子午夜過三更落　相思踱步子夜中　早曦或見雲雨停　唯雖雨過心未晴

款文

七言絕句　相思踱步　詩作者蘇文寬書于二〇一八年三月

印文

起首印：大坤福

名章：蘇氏　文寬

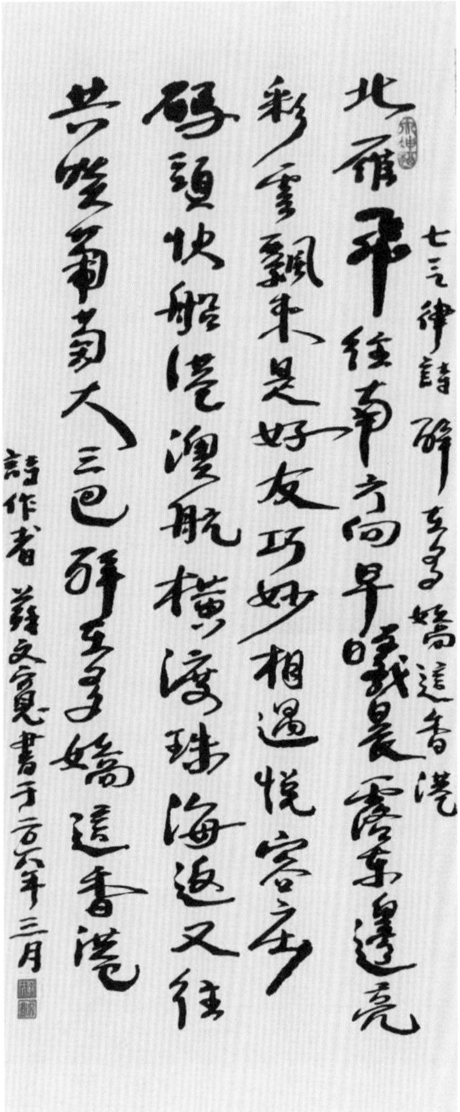

醉在多嬌這香港

釋文

北雁飛往南方向　早曦晨露東邊亮　彩雲飄來是好友　巧妙相遇悅客庄
碼頭快船港澳航　橫渡珠海返又往　共啖葡萄大三巴　醉在多嬌這香港

款文

七言律詩　醉在多嬌這香港　詩作者　蘇文寬書于二〇一八年三月

印文

起首印：大坤福　名章：蘇氏　文寬

詩情書喻

作者書寫在香江與濠江巧遇好友之心情，描繪出共啜飲醇酒、隨心而醉的歡愉畫面。

蘇幕遮・懷舊　　宋　范仲淹

碧雲天，黃葉地。秋色連波，波上寒煙翠。山映斜陽天接水。芳草無情，更在斜陽外。黯鄉魂，追旅思。夜夜除非，好夢留人睡。明月樓高休獨倚。酒入愁腸，化作相思淚。

本詩篇名為〈醉在多嬌這香港〉，正如其名，詩詞所描寫的地點即在香港，主要內容說明作者在澳門（濠江）與香港（香江）遊玩之時偶遇好友，兩人一同啜飲醇酒、隨心而醉的美好記憶。開頭運用方位的轉變暗喻作者已不在原本的家鄉，中間段使用雲彩做比喻，表示在異鄉遇見也從其它地方來的好友，具體寫到兩人在何處相遇，以及中間的各式交通工具，最後以二人一起喝酒談天說地做結尾。

該作前有詩題，上款引首印為閑章印；後有同書家題名及書作時節，落款後下兩印姓名章。以立軸的方式展現。觀全幅氣勢磊落，行草交錯，佈局自然，契合詩文主題，筆墨均勻分配，「飛」字用墨最深，力透紙背之感，給人直觀的視覺感受。

在鑑賞書法美學當中，講究字的線條、結構與整幅作品的章法與情感，而在書法的創作過程中，因為下筆之時用力程度和書寫速度有所不同，字體的呈現上就產生了輕重、粗細不同的型態。像在此篇中飛往的「飛」、碼頭的

「碼」，比起在同一篇詩詞的書法書寫上，其他的字體都看上去更細、在下筆之時力度更為輕巧，但那兩個字很明顯看上去更粗，墨更濃，在下筆的力道要來的更下力道。而「飛往」的「飛」字與「碼頭」的「碼」，兩者都為交通工具之詞語。本篇內容所描繪之地方乃為域外，書家用筆強調這二字也可能同樣是想要加強旅遊的印象。

本詩旨在描述作者異鄉遇見熟悉的朋友，並且與其一同喝酒作樂的場景，在過去之古代詩詞也有許多描繪詩人處在異鄉的詩篇，但與其有所不同之處在於，對那個交通不方便時代的人，來說「異鄉」是一個象徵著孤寂、沒有朋友家人的代表，因為他們想要跨越到不同地方是比較困難的，所以去到一個完全陌生的地方，對於他們來說不見得是去遊玩的，反而可能是代表著要離鄉背井，開始獨自一個人生活，而范仲淹之作〈蘇幕遮・懷舊〉所描寫的即為此種情況。前段寫景，描寫秋天著景色映照在江波上，遠山沐浴在夕陽之下並且和江水相連接，並以蕭瑟的秋景和作者因身處異地而產生相思的情緒做連結。本篇也同樣是前段寫景，書寫早晨的太陽，然後接續遇見雲彩實則為遇見朋友，最後以遇見朋友與其一同喝酒，隨心而醉的場景做結尾。兩者雖然地點皆為「異鄉」，但所表達出來的情緒卻是相去甚遠的。〈蘇幕遮・懷舊〉旨在描述作者獨自一人在一個陌生的環境，開頭描寫秋景，寫景物的「芳草無情」點出後段真正相思的情緒，整體帶給人的情緒較為哀戚淡然。而本篇作者雖也在異國他鄉，但作者卻遇見了好友，還一起喝了酒聊了天，帶給讀者的情緒是輕鬆與好朋友見面的歡快。

當一個人遠在異國他鄉，第一時間所想起到的可能是孤獨、寂寞、無助，此類比較令人沮喪的情緒，但在作者在本篇作品中透露，即使身在異國他鄉與朋友酒酣耳熱的歡樂情緒，也帶來一番新的風味。

有如意現

釋文
早安即有如意現　晨天雲門若流水　彷是財源滾滾來　吉兆嘉允得豐年

款文
七言絕句　有如意現　詩作者蘇文寬書于二〇一八年三月

印文
起首印：大坤福
名章：蘇氏　文寬

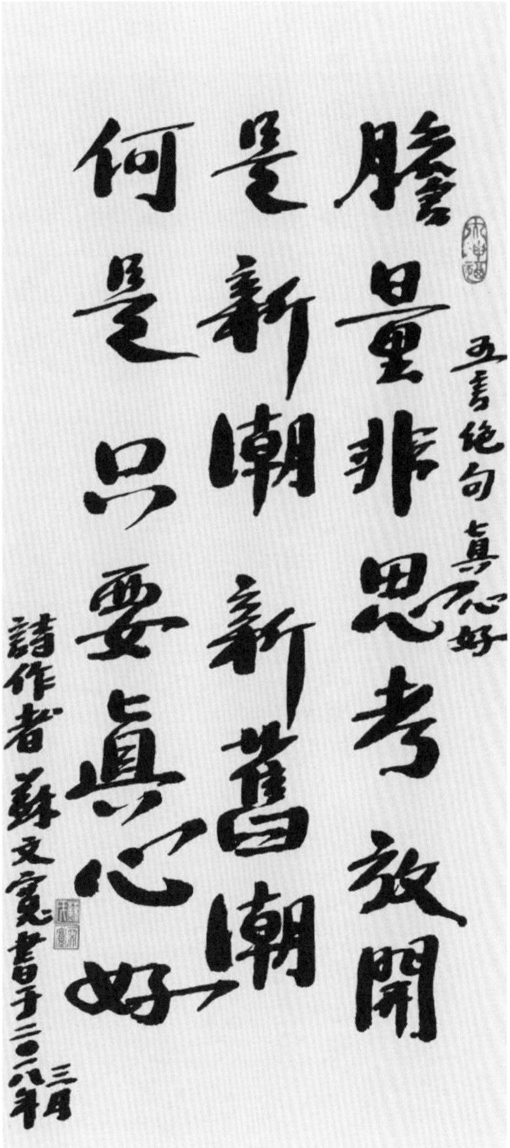

真心好

釋文
膽量非思考　放開是新潮　新舊潮何是　只要真心好

款文
五言絕句　真心好　詩作者蘇文寬書于二〇一八年三月

印文
起首印：大坤福
名章：蘇氏　文寬

酒中醉

釋文

初冬小寒星月空　好友共敘話心衷　黃湯幾杯入酒肚　無懼大醉杜康功

牛飲才唱微酣曲　聊天話地真欣喜　人生幾度酒中醉　情義相挺內心裡

款文

七言律詩　酒中醉　詩作者蘇文寬書于二〇一八年　春

印文

起首印：大坤福　名章：蘇氏　文寬

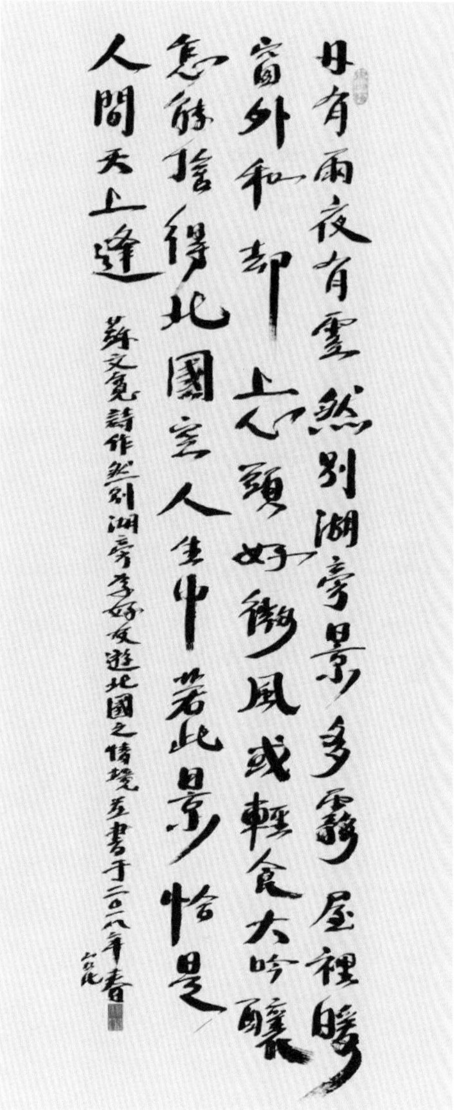

北國湖旁

釋文

日有雨　夜有雲　然別湖旁景多霧　屋裡暖　窗外和　卻上心頭好微風

或輕食　大吟釀　怎能捨得北國空　人生中　若此景　恰是人間天上逢

款文

蘇文寬詩作然別湖旁為好友遊北國之情境並書于二〇一八年　春　台北

印文

起首印：大坤福　名章：蘇氏　文寬

銅來銅往裡

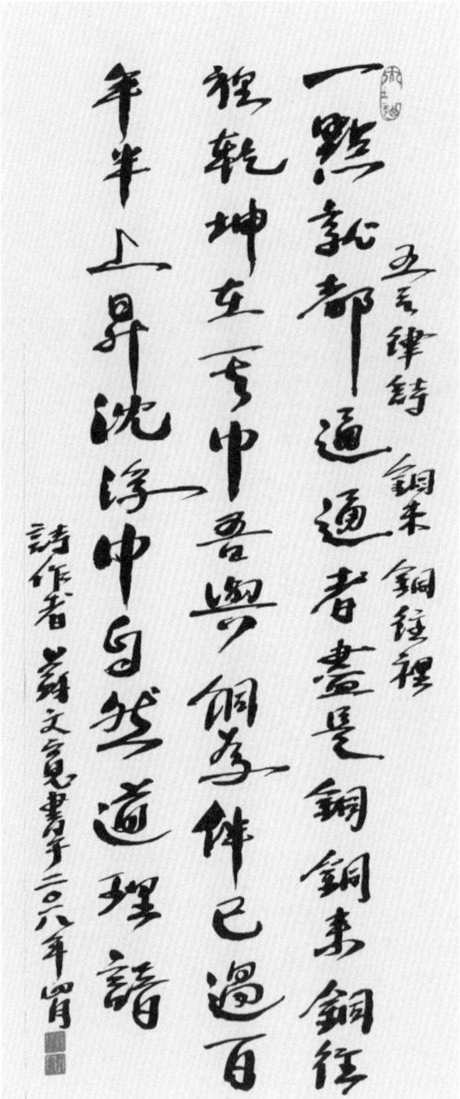

釋文

一點就都通　通者盡是銅　銅來銅往裡　乾坤在其中

吾與銅為伴　已過百年半　上昇沉浮中　自然道理語

款文

五言律詩　銅來銅往裡　詩作者蘇文寬書于二〇一八年四月

印文

起首印：大坤福　名章：蘇氏　文寬

詩情書喻

作者寫下自己從事電纜產業，鎮日與銅為伴，借物寓理，抒發經營之思。

古人學問無遺力，少壯工夫老始成。
紙上得來終覺淺，絕知此事要躬行。

冬夜讀書示子聿　宋．陸游

本詩篇名為〈銅來銅往裡〉，主要內容為描述作者長年在電線電纜產業中與「銅」的研究和經營，逐漸能夠理解並且熟悉產業中最核心的原料——「銅」以及銅本身和天地自然間所蘊含的經營與人生之道。

開頭一段用「通」一字連結兩句，以「通」、「銅」音聲相諧，意旨能夠一點就了解、通達並且明白事理的經營者自身，在「銅」的事業裡，翻騰拚搏，運籌帷幄，而這其中又有許多難以被參透的乾坤，接著作者開始自述自己年歲已過半百，沉浸在以同為本的電線電纜產業裡，載浮載沉了數十年，從而闡發許多道理也早已在自身生命的旅途當中明瞭知曉。

該作前未有引詩題，上款引首印為閑章印；後有同書家題名及書作時節，落款下有兩印姓名朱砂泥印章，共一橢圓、兩方印。篇幅以立軸的方式呈現，總共分三句，每句字數不同。前面未有詩題，而是同書家題名及書作日期置於落款處。運筆以行草體勢為主，一筆揮就，毫無凝滯，筆墨超逸。

本篇為詩人描述自己對於電線電纜產業的經營概念與想法。在人生當中經歷了許多事情，從天下攘攘，皆為利往。天下熙熙，皆為利來的生意經營中，體會出某些冥冥之中的道理其實早已瞭然、理解於詩人同時也是經營者的心中。而伴隨年紀成長到一定程度，對於人生觀以及其他想法有了一個實質的不同。這其中透露出來的瀟灑、自在、通透之感，也同樣呈現在書法之字體上。此篇有許多字體在形式方面，對於橫式的筆畫會相對超出其字本身的框架，其中「一」、「上」、「浮」等字皆為此種類型，而這樣不侷限於原本字的規範的設計方式，會使觀看者覺得字和其內容相互呼應。

在詩人經營有成的事業中，以「銅」為核心原料的電線電纜產業，也隨著時間與經驗的積累與熟成，而創發出自我的經營哲學。一如在陸游作品〈冬夜讀書示子聿〉的其中一段即言：「古人學問無遺力，少壯功夫老使成。」意為古人在學習知識的時候是不遺餘力的，終身為了這件事所奮鬥，而且通常是年輕的時候就要開始努力，到了晚年的時候才有辦法取得成功。代表年輕的時候如果沒有開始奮鬥，那到老年的時候也無法取得成果，這一概念和本詩所傳達的意象類似，在人生這趟旅程走了許久的路，有很多天地乾坤道理也是在經歷的累積下才明白的，所以年輕之時不用急於求成，而是要一步一腳印的耕耘，時間自會證明努力的成果。所謂「紙上得來終覺淺，絕知此事要躬行」，意為勤奮的學習固然重要，但書本上的知識終究是前人自己的經驗，自己沒有嘗試過，而純粹用書本知識紙上談兵還是太過於淺白，只有親自實踐，才能將書上的知識變為自己的本領，即強調「親自躬行」的重要性。在〈銅裡銅往來〉與此概念相似之處在於，詩人年過半百之後才逐漸理解人情世故或商場來往的訣竅與訣竅。

作品以「銅」這一物品貫穿全文，作者又從這個物品展開書寫其人生哲理，他認為思想通達之人在這個依靠「銅」為原料的電線電纜產業，自身已拚搏奮鬥十幾餘年，對於其中的道理也逐漸知曉，透過詩情與筆墨，闡發屬於自己獨有的經營觀。

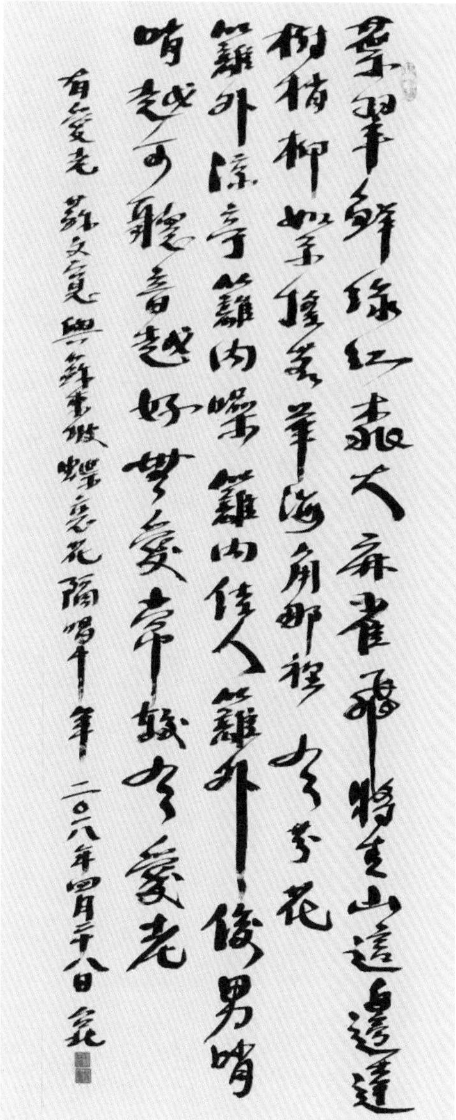

有愛老

釋文

葉翠鮮綠紅桃大　麻雀飛將青山這邊達　樹梢柳絮搖落華　海角那裡有芬花

籬外涼亭籬內噪　籬內佳人籬外俊男哨　哨越可聽音越好　無愛常較有愛老

款文

有愛老　蘇文寬與蘇東坡蝶戀花隔唱千年　二〇一八年四月二十八日　台北

印文

起首印：大坤福　名章：蘇氏　文寬

詩情書喻

作者唱和千年前的東坡〈蝶戀花〉，吟詠春芬芳華、佳音縈繞而情思厚重之感。

蝶戀花・春景　　宋・蘇軾

花褪殘紅青杏小，燕子來時，綠水人家繞。
枝上柳綿吹又少，天涯何處無芳草。
牆裡秋千牆外道，牆外行人，牆裡佳人笑。
笑漸不聞聲漸悄，多情卻被無情惱。

本詩前段內容描述為春天樹葉嫩綠、瓜果碩大，以及飛禽走獸及山川自然之美好春景，後段描寫籬內熱鬧之景象。此篇分為兩段，前半段描繪春天有翠綠的嫩葉、鮮紅的桃子，天空中還有飛行的麻雀以及其他鳥禽，天空又和一旁的青山行程一幅美好的景色，而山腳下還有紛飛的柳絮，海的那一邊還有芬芳的花朵；後段描述在籬笆內與外，籬笆外有涼亭以及一位帥氣的男性，而籬笆內有一位清秀佳人，內容提到「躁」，可能是指男性向籬笆內的佳人攀談，因此詩詞中的躁指的可能是二人相談甚歡之景象。

該作以立軸的方式呈現，總共四段，每段字數不固定。通篇礫筆帶皴擦乾筆，全篇氣勢連續綿延，走筆著重弩筆、礫筆，時深時淺，形成意韻連綿的視覺感受。該作前未引詩題，上款引首印為閑章印；後有同書家題名及書作時節，落款下有兩印姓名章、朱砂泥印，共一橢圓、兩方印。

本篇所描述之場景為春天百花盛開、山水之美好，而本篇在書法字體之呈現上也有許多連筆之設計，較沒有一般書法寫法之正式，而此種率真自然感，也使其和春天之愜意自然的感受合而為一，所謂詩與字體融為一體即是此種表現。

本詩在前半段為一闕相當經典的詠春詞，並且從古至今類似的題材數不勝數，而其中蘇軾所寫的〈蝶戀花〉就數其中較具有代表性之詩詞。蘇軾寫春天：「花褪殘紅青杏小，燕子來時，綠水人家繞。枝上柳綿吹又少，天涯何處無芳草。牆裡秋千牆外道，牆外行人，牆裡佳人笑。笑漸不聞聲漸悄，多情卻被無情惱。」在於反襯春景之美而自身卻處於貶謫的寥落之情狀中。相較之下，本篇語言相對質樸，沒有太多的華麗鋪排，更多的是直接描寫春天會出現怎麼樣動人的景色，不管是翠綠的葉子亦或者碩大的果子，又或是因萬物復蘇而隨處可見的飛禽走獸，甚至是青山連接的海洋，以及春天隨處飄揚的柳絮，翻轉東坡的傷春之情，重新賦予春景陽光正面之意涵，以直白中又不失巧思的描述，呈現出詩人吟詠春芬芳華、佳音縈繞而情思厚重之感。

茉莉花開醒

釋文

池畔綠意詩楓情　就在茉莉花開醒　豔陽翠綠綻放後　楓紅也盼落葉停

款文

七言絕句　茉莉花開醒　詩作者蘇文寬　詩作于二〇一一年五月　書于二〇一八年六月

印文

起首印：大坤福　名章：蘇氏　文寬

若迎朝陽

釋文

盛夏魚肚白晰嫩　瞬息天真早霞現　千紅萬紫齊抬頭　若迎朝陽晨暉見

款文

七言絕句　若迎朝陽　詩作者蘇文寬　詩作于二〇一一年六月　書于二〇一八年六月

印文

起首印：大坤福　名章：蘇氏　文寬

心醉

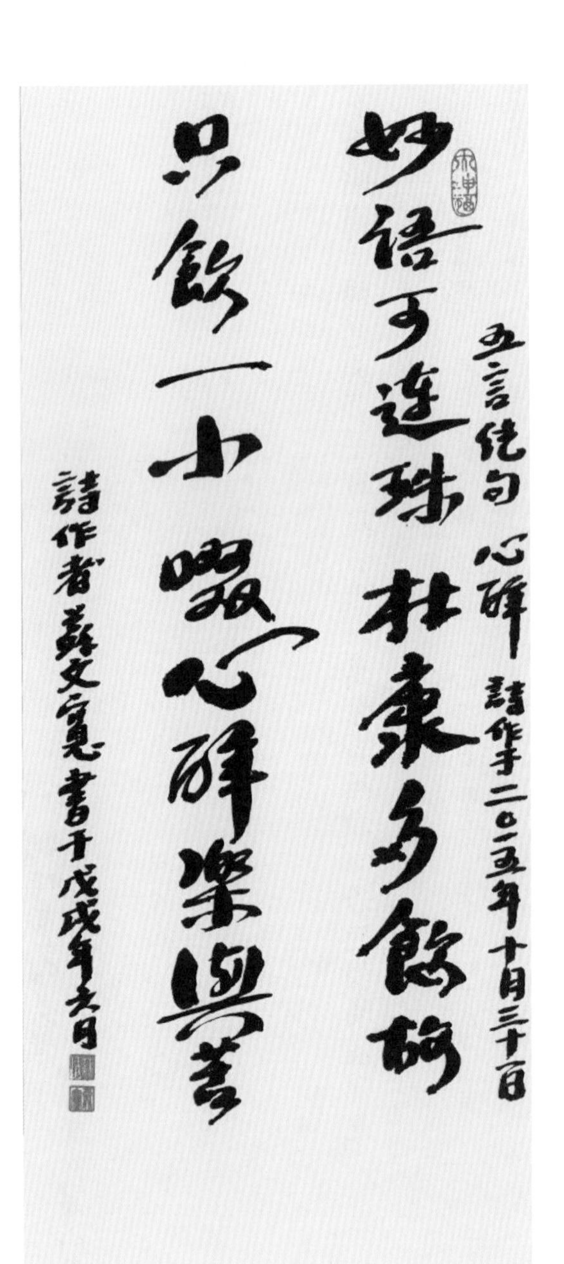

釋文

妙語可連珠　杜康多飲故　只飲一小啜　心醉樂與苦

款文

五言絕句　心醉　詩作於二〇一五年十月三十一日　詩作者蘇文寬書于戊戌年六月

印文

起首印：大坤福

名章：蘇氏　文寬

冬霜落之一

釋文
入夜似有秋色澤　午夜降來冬霜落　一更正是寒意深　三更已然思夢真
唯來晨曦睡中醒　沖淡美麗夢幻境　紫氣東來早旭時　方寸仍在真情勝

款文
七言律詩　冬霜落　蘇文寬書于雲科大　二〇一八年七月三日

印文
起首印：大坤福
名章：蘇氏　文寬

詩情書喻

作者將冬日夜晚白雪落下之景與早晨初醒時的心情，表達於墨韻之中。

自在　唐・白居易

杲杲冬日光，明暖真可愛。移榻向陽坐，擁裘仍解帶。小奴捶我足，小婢搔我背。

相較於春日遍地的生意盎然、夏日叢生的花團錦簇、秋日滿山的層林盡染，冬日景色似乎從來不曾擁有這些絢麗多彩，放眼望去，一切盡是潔淨俐落的傲雪凌霜；但也就是這份單調，成就了文人墨客心中的那份質樸淡雅。本詩篇〈冬霜落〉講述了於冬日夜晚，在白雪紛飛的陪伴下沉沉睡去，又被隔日的和煦暖陽溫柔喚醒，那種被天地無微不至地呵護的渾身法喜；以七言律詩的較長篇幅，完整講述了自己處在這樣的包容之下，從身體到心靈的療癒體驗。

該幅作品以立軸方式作呈現，正文為接連排列、含四聯八句且首句未入韻之七言律詩；前面僅有起首印文而未有詩題，詩題則是同書家題名、名章印文及書作日期分作三行整齊置於落款處。

本書作與後篇內文相同，但書寫時間前後有別，書家在運筆創作表現上散發著截然不同的氣息。全詩行氣走筆較前篇更加行雲流水、一氣呵成；加長版的宣紙、更為輕盈的筆觸、配上因拉長字體而更為增加的留白空間，使整體視覺效果與大雪紛飛的景象顯得更為相似；而墨色則仍是相當飽滿豐盈。通篇未見結構重筆，惟最末句之「勝」字撇筆刻意地加重，給予整篇書作有力的結尾，似乎也象徵著因為美景而帶來的內心安定。

冬霜落之二

釋文

入夜似有秋色澤　午夜降來冬霜落　一更正是寒意深　三更已然思夢真
早曦微光睡中醒　沖淡夢鄉幻像境　朝氣東來紫氣時　方寸仍在真情勝

款文

七言律詩　冬霜落　詩作者蘇文寬書于　二〇一八年六月

印文

起首印：大坤福

名章：蘇氏　文寬

松柏千秋

釋文

冬雨綿綿雪霏霏　斷凍天地早出人　再從這裡迎春夏　志在松柏千秋甲

款文

七言絕句　松柏千秋　詩作者蘇文寬書于二〇一八年六月

印文

起首印：大坤福　名章：蘇氏　文寬

多彩

釋文
聽得鳥叫聲柔婉　耳覺春風秋香帶　山邊天空多顏色　白鷺鷥佇田多彩

款文
七言絕句　多彩　詩作者蘇文寬詩於二〇一一年三月　書于二〇一八年六月

印文
起首印：大坤福
名章：蘇氏　文寬

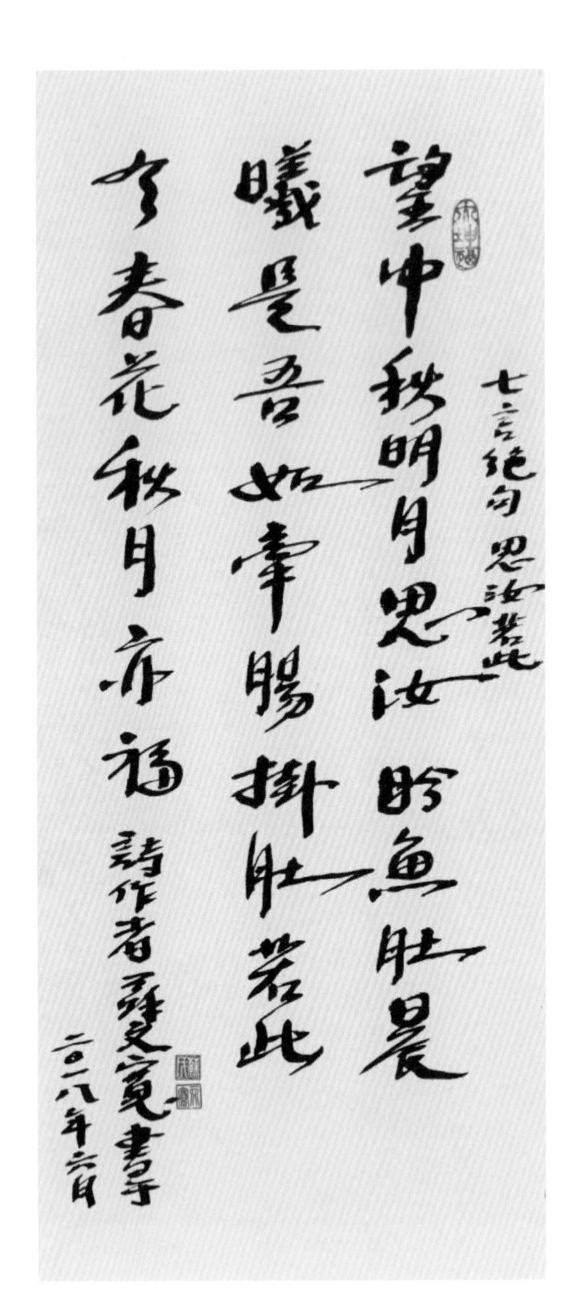

思汝若此

釋文

望中秋明月思汝　盼魚肚晨曦是吾　如牽腸掛肚若此　有春花秋月亦福

款文

七言絕句　思汝若此　詩作者蘇文寬書于二〇一八年六月

印文

起首印：大坤福　名章：蘇氏　文寬

詩情書喻

作者夜觀明月，晨看朝曦而抒發深切之思念。

十里東風，嫋垂楊、長似舞時腰瘦。翠館朱樓，紫陌青門，處處燕鶯晴晝。乍看搖曳金絲細，春淺映、鵝黃如酒。嫩陰裏，煙滋露染，翠嬌紅溜。此際雕鞍去久。空追念郵亭，短枝盈首。海角天涯，寒食清明，淚點絮花沾袖。去年折贈行人遠，今年恨、依然纖手。斷腸也，羞眉畫應未就。

花心動・柳　宋・吳文英

若要從數千年的文化長河中，「思念」是最常被描寫的主題。無論是懷思親朋好友、自身過去的豐功偉業乃至於正當下或幾秒鐘前的歡笑神傷，我們只要有記憶、有過去，就一定會思念。本詩篇描寫了佳節時期，那不自覺湧上心頭的回憶；對那個可能許久不見、或是再也不見之某人的回憶。文末也相當有意境地，不將「思念」看待為一種折磨，反倒是將其視為一個陪襯眼前美景的恩賜，藉此讓讀者感受到「思念」的強烈與同時間帶來的溫暖希冀。

該幅作品以立軸方式作呈現，正文為接續排列之七言絕句；該作前引詩題，上款引首印為雅趣閑章印；後有同書家題名及書作時節，另最後分作兩行落款，右側有兩印姓名朱砂泥印章，共一橢圓、兩方印。

全詩走筆神韻瀟灑中帶有些許的內斂，似乎在想恣意暢所欲言的同時又有著些許的顧忌。字體之間有意無意的參差交疊，進而製造出變化萬千的留白變化，好似也在呼應著突如其來的思念加諸於書家的那種抽離斷片感；刻意延伸的橫筆，更是一次次地加強了這種意象，在讀者理解文字內容的同時，也給予視覺上的直接衝擊。而在「汝」

字之後，又在「肚」字與「如」字中不斷重複出現、驚人高相似度的延伸橫筆，這也都暗喻了在接續吟詠詩句的同時，詩人心中所念所想的仍然是「汝」。

宋代詞人吳文英曾作一闕〈花心動・柳〉，前半以臨風裊裊飄飛的柳枝作為開場，接連描述了各種嬌翠鮮紅、鶯聲燕語的繁華景色；讀到這邊，看似皆在描寫姣好的滿園春色，讚嘆這遍地的朝氣蓬勃。殊不知話鋒頓轉，在詞賦後半猝不及防地引出了真正的主角——「思念」。原來，這裡正是游子的離去之處。「去久」、「空追」、「淚點」，每個字眼都如浪潮般一波波地向讀者襲來、澆熄那方才前半燃起的希望之火。話雖如此，但詞人卻不願鬆手這樣的渺茫；因為縱使已多年杳無音訊，仍有故人在此等待他的歸來；即便深知「再見」或許遙遙無期，但留守此地的伊人仍從未放棄「再見」的可能性。而在〈思汝若此〉中，我們自始至終並不知道詩人所思念的對象究竟是誰、前往何方、為何分離；但我們仍能非常真切地感受到，詩人對於那人的思念。而那般的牽腸掛肚彷彿也早已成為了習慣，長久到即便只能與「思念」相處，也是值得感念的事情了。與〈花心動・柳〉相比，本詩篇文字相對減輕了一些酸楚，卻也增加了更多執著。

作者用相當正向、充滿希望的知足收尾串起全詩，表達了對遠處某人的深切思念。為歷史悠久的「思念」詩詞主題，再次添入了清新迴殊的小篇章。

康定情義

釋文

著上墨境悠賞景　心有藍天願有晴　康定吉祥如意遊　踏遍塔公情義挺

上馬奔騰有伯樂　良駿馳騁千里廓　士有鴻鵠高飛志　人生方向有掌握

款文

七言律詩　康定情義　詩作者蘇文寬書于台北二〇一八年六月

印文

起首印：大坤福　名章：蘇氏　文寬

忘卻芙蓉

釋文

荷花美妙入眼簾
綠葉開展在水面
豔陽帶來綠葉翠
忘卻芙蓉也是水

款文

七言絕句　忘卻芙蓉
詩作者蘇文寬詩作于二〇一一年三月
詩作者蘇文寬書于二〇一八年六月

印文

起首印：大坤福
名章：蘇氏　文寬

彷彿流星天上落

釋文

似夢若醒半睡中　望穿窗牖探星東　彷彿流星天上落　欣接吾兄飛信弓

雖說今夜月未圓　仍照松柏亮心田　松柏相伴左右立　恰如兄弟星月緣

款文

七言律詩　彷彿流星天上落

詩作者蘇文寬書于二〇一八年六月

印文

起首印：大坤福　名章：蘇氏　文寬

松下幸之助

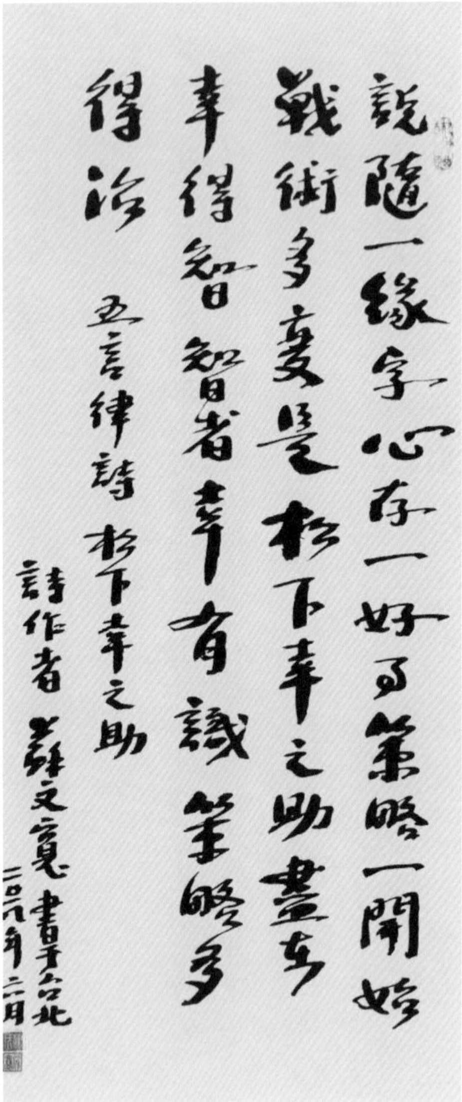

釋文

說隨一緣字　心存一好事　策略一開始　戰術多變是
松下幸之助　盡在幸得智　智者幸有識　策略多得治

款文

五言律詩　松下幸之助　詩作者蘇文寬書于台北　二〇一八年六月

印文

起首印：大坤福

名章：蘇氏　文寬

詩情書喻

以日本經營之神松下幸之助深具智慧與知識的典範，作為自身經營管理的準則。

滿江紅・喜遇重陽　宋・宋江

喜遇重陽，更佳釀今朝新熟。
見碧水丹山，黃蘆苦竹。頭上儘教添白髮，鬢邊不可無黃菊。
願樽前長敘弟兄情，如金玉。
統豺虎，御邊幅，號令明，軍威肅。中心願，平虜保民安國。
日月常懸忠烈膽，風塵障卻奸邪目。望天王降詔，早招安，心方足。

古今中外非常多富有哲理與智慧的詩句，無論是從山水田園、花草樹木、國家興亡乃至於日常生活作發想，似乎天地萬物都能讓我們從中學習到一些事物；蘇軾〈題西林壁〉當中的「只緣身在此山中」、陸游〈冬夜讀書示子聿〉當中的「紙上得來終覺淺」、黃蘗希運〈上堂開示頌〉當中的「不經一番寒徹骨，怎得梅花撲鼻香。」等等都是非常經典流傳的句子，似乎都在告訴我們，只要願意去覺察，萬物都是有智慧的；然而，卻很少有詩句頌揚的對象是「智慧」本身。此五言絕句便為我們演示了這樣的內容，告訴我們有時候「智慧」不必刻意追尋，偶爾可享受「今朝有酒今朝醉」的愜意，不過一旦出現了充滿智慧與知識的能人，我們一定要懂得感恩、把握機會多多與他們學習才是。

該幅作品以立軸方式作呈現，正文為接連排列、含四聯八句且首句入韻之五言律詩；前面未有詩題，而是同書家題名及書作日期分作兩行整齊俐落置於落款處。上款引首印為雅趣閑章印，朱砂泥印，落款雙方印，為姓名章，中規中矩，作品平衡，虛實輕重關係安排妥貼。

全詩行氣走筆沉著穩健，墨色潤燥得宜，不刻意矯揉地誇飾勾勒，冷靜又富含智慧；尤「一」字橫筆更可見作者的穩定和專注，起筆至回筆從一而終，更體現了詩句內容中「隨緣但不隨意」的強大心理素質。而通篇最卒章顯志之筆，乃是同詩題之「松下幸之助」五字；在讚嘆「智慧」的正大格局之中，使日本知名實業家之名號端坐其中，再次強調了主題，並且同時間用如此身教楷模供大家作為典範，致使整篇文章不會流於空談，真可謂神來之筆。

拜讀過〈水滸傳〉的讀者們，一定非常熟悉及時雨——宋江的名號；在故事接近尾聲之時，英雄好漢們即將接受皇帝招降之際，宋江作了這首〈滿江紅．喜遇重陽〉之詞。上片先提及了與弟兄們多年四處征討的情誼，一起把酒言歡話當年的那種暢快逍遙；而下片中則開始感嘆，即便已經自己一行人早已雄霸四方，並且都是如此耿直忠義，卻仍不足以改變多數人的愚昧無知、忠奸不分。因此在詞句最後，提及了願受招降的信念，無非就是感念到自己的「智慧」已無力解決眼下的狀況，而轉念將希冀寄託於聖明的君主。就像〈松下幸之助〉展示的一樣，一個真正富有「智慧」的人，才能夠有策略地應對各種事情；而貫串全詩反覆出現的詩眼「幸」也暗示著，這些人的出現往往是可遇不可求的，若有幸出現在自己生的道路上，千萬不可放棄將對方最為楷模的機會，唯有如此，才有機會將自己也變成一位富有智慧之人。

本詩作以知名實業家松下幸之助為題，提醒大家行為典範之於我們人生的罕見與重要性，一旦有幸遇上，一定不可以放棄學習的機會，也才會向成功更加邁進一大步。

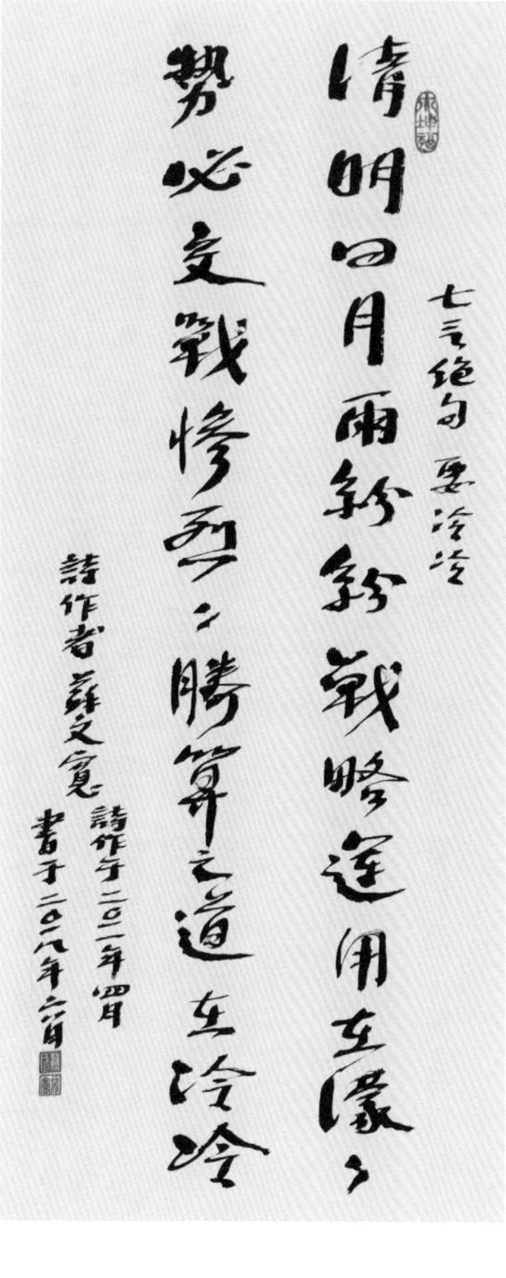

要冷冷

釋文

清明四月雨紛紛　戰略運用在濛濛　勢必交戰慘烈烈　勝算之道在冷冷

款文

七言絕句　要冷冷　詩作者蘇文寬　詩作于二〇一一年四月　書于二〇一八年六月

印文

起首印：大坤福　名章：蘇氏　文寬

詩情書喻

此指戰略並非打仗，而是作者想藉此凡事要冷靜才是贏得勝利的關鍵。

竹石　清・鄭燮

咬定青山不放鬆，立根原在破巖中。
千磨萬擊還堅勁，任爾東西南北風。

相信多數人都對唐代杜牧詩文〈清明〉當中「清明時節雨紛紛」等字句是相當不陌生的，許多人也都擁有清明時節不停下雨這樣的生活經驗與記憶；如此描寫特定時節的詩句，又能作出何種特殊的聯想與賞析呢？〈要冷冷〉給出了一個舉世無雙的答案：「冷靜」。雨滴就像是天地賜予人間的一層薄紗，罩上後使萬物都變得迷濛不清，許多具有情緒波動的場景雨重大的轉捩點都是在雨中發生的，那是一種情懷，卻也容易使人作出不夠理智的決定。如同詩中所提，如果一場交戰發生在如此晦暗不明的環境，那勢必結局慘烈，即便殺敵一千，仍需自損八百。因此詩人便悟出了〈要冷冷〉的篇章，提醒世人作任何決定都需要冷靜思考、深謀遠慮，才不會在不清楚後果的情況下誤入歧途，甚至是害人害己。

該幅作品以立軸方式作呈現，正文為左右共兩行、一行十四字整齊排列之七言絕句。另最後分作兩行落款，上款引首印為雅趣閑章印，朱砂泥印；後有同書家題名及書作時節，落款後下兩印，朱墨分配得宜，畫面雅緻。

全詩行氣走筆輕飄曼妙，未見結構之重筆，志在摹擬雨中的迷濛飄盪；墨色溫潤而清朗，為詩篇意境更增添了一層潤澤。而多處捺筆，如「運」字、「道」字等，以及多處橫筆，如「烈」字、「在」字等，都刻意提筆減少字型重量，皆是為揭示在雨中前行的草率後果。另四句均以疊字作結尾形成工整對仗，然而第二、三句之「濛濛」與「烈烈」卻未將字體寫出，反而以雙點取而代之，為的就是雨點的直接具象化，同時間有些蓄意地使兩條詞句末端顯得虎頭蛇尾，使讀者更加容易一目瞭然所謂冷靜沉著之必要性。

竹子的頑強氣節一向為歷代詩人所青睞，例如清代鄭燮〈竹石〉之作，便是以扎根於岩石中的竹子作為發想，描述它的堅韌挺拔、不屈不撓，是相當典型的托物言志作品。而其中相當知名的最後兩句「千磨萬擊還堅勁，任爾東西南北風。」更是對竹石的高風傲骨感到讚嘆，期盼大家都能有那種像革命者一樣寧折不彎的品格。而〈要冷冷〉則講述了類似的心思：如果你是一個朝三暮四、總愛衝動行事的人，那麼一路上就會容易跌跌撞撞地失去方向，與成功漸行漸遠；一定要隨時提醒自己，在做任何重大決定時都要冷靜沉著、堅守底線，擁有像竹子一般的意志，才可能越發地頑強，立根於破岩之中。

詩人以清明時節的迷濛飄盪為譬喻，用字句與書法講述了「冷靜」的重要性。人的一生總會經歷許多重大的關頭，也就是這些時刻決定了我們人生的走向與後世評價；一定要懂得沉著以對、堅守自己的剛毅，才真正握有勝利的關鍵。

我忘醉

釋文

醉在香江杜康杯　不意酩酊放鴿飛　大小飛鴿來回探　就有其一大醉回
接回大醉飛鴿睡　醒來回神方知味　篇章盡情醉茫茫　原來酒中我忘醉

款文　七言律詩　我忘醉　詩作者蘇文寬書于二〇一八年　初夏

印文　起首印：大坤福　名章：蘇氏　文寬

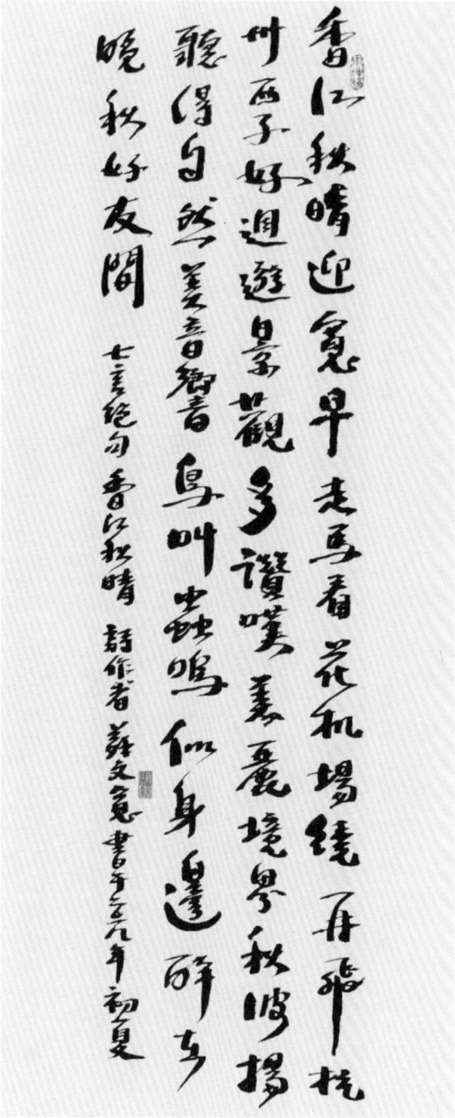

香江秋晴

釋文

香江秋晴迎寬早　走馬看花機場繞　再飛杭州西子好　週遊景觀多讚嘆
美麗境界秋波揚　聽得自然美音響　鳥叫蟲鳴似身邊　醉在晚秋好友間

款文

七言絕句　香江秋晴　詩作者蘇文寬書于二〇一八年　初夏

印文

起首印：大坤福　名章：蘇氏　文寬

詩情書喻

作者懷念在秋高氣爽的晴日於香港轉飛至杭州，一路飽覽壯麗的景觀、美不勝收的景色、生機盎然的自然生態以及與好友相談甚歡的夜晚。

長相思　宋・林升

和風熏，楊柳輕，郁郁青山江水平，笑語滿香徑；
思往事，望繁星，人倚斷橋雲西行，月影醉柔情。

飛往東方之珠的香港，時值秋高氣爽晴朗日。機場中短暫地逡巡，隨即轉往美稱「人間天堂」之杭州自古以來便是無數文人墨客最愛的駐足之處，尤其西湖美景更是不間斷地為人所稱道；蘇軾〈飲湖上初晴後雨〉中的「淡妝濃抹總相宜」、楊萬里〈曉出淨慈寺送林子方〉中的「映日荷花別樣紅」、林升〈題臨安邸〉中的「暖風薰得遊人醉，直把杭州作汴州。」等膾炙人口的詩句，全都是在稱頌杭州及西湖的宜人美景。而〈香江秋晴〉不僅止於讚嘆其美不勝收之壯麗景觀，更加入了對於周遭的聽覺感受、以及和親朋好友相聚共享景色的美好；比起以往純粹描述視覺上的享受，本詩篇更細心地替沒去過的讀者們詳加描述了許多細節、和最後「獨樂樂不如眾樂樂」的一份博愛無私。

該幅作品以立軸方式作呈現，正文為接連排列、含四聯八句且首句入韻之七言律詩；字句綿延流暢而不拖泥帶水，流淌著詩人的自在愜意。前面未有詩題，而是同書家題名及書作日期整齊俐落置於落款處，列於落款右處，平衡長卷立軸的視覺效果。全篇共一橢圓印、兩方印姓名章，朱砂泥印。

全幅行氣靈活爛漫且無拘無束的走筆，相當符合題旨；且通篇未見明顯重筆，這點也與字裡行間透漏著的一種恣意快活十分類似。透過本書作，格外加深了端看詩句內容還無法完全想像的西湖美景，也感受到了作者當時的快活愜意。雖然部分字體雖筆劃較繁複，但作者卻仍然游刃有餘地應對書寫；如詩句後半的「聽」字、「響」字、「邊」字等等，雖未見清晰之一筆一劃，卻仍在字形上相當完整。

除了前述提到的各個詩作或詞賦，宋代林升另有一作〈長相思〉，亦在描寫杭州之天地美景；和其他作品較不同之處在於，〈長相思〉並沒有使用太多過於花俏的形容詞，去描述景色為人們所帶來的震撼，反倒是耿直地記錄了每一個感官分別之所見所聞；「和風熏」中的觸覺、「郁郁青山」中的視覺以及「笑語滿香徑」中的聽覺，接連著的每句都帶給讀者新的感官刺激、更接近詞人在觀賞美景當下的細緻綜合感受。而〈香江秋晴〉中，詩人顯然也和林升一樣注意到了在以往作品中可能較缺乏的描繪；不過除了增加新的感官描述，詩人還額外提到了同行的友人、以及和他們共享壯麗美景的閒適快樂。比起只是單薄地描述自身的愉悅，透過如此與眾人皆相談甚歡的手法去作表現，似乎更讓讀者有種身歷其境、更確實地感受到一整天豐富行程所帶來的心靈富足感。以這樣的溫暖感受作為結尾，實屬高明。

本詩作〈香江秋晴〉紀錄了作者於杭州之行，一路上的所見所感；除了壯麗景觀及周遭的各種生機盎然之外，更重要的是那個與好友相談甚歡的夜晚。

人生幾度季節轉

釋文

鳳凰若有秋楓紅　炎夏涼在春風柔　人生幾度季節轉　夏有涼風秋有冬

款文

七言絕句　人生幾度季節轉　詩作者蘇文寬書于二〇一八年初夏

印文

起首印：大坤福　名章：蘇氏　文寬

子夜午時落水聲

釋文

窗子灑滿點滴雨　子夜午時落水聲　聲有輕柔也急促　只是何者心中情

款文

七言絕句　子夜午時落水聲　蘇文寬書于二〇一八年　初夏

印文

起首印：大坤福

名章：蘇氏　文寬

謎底

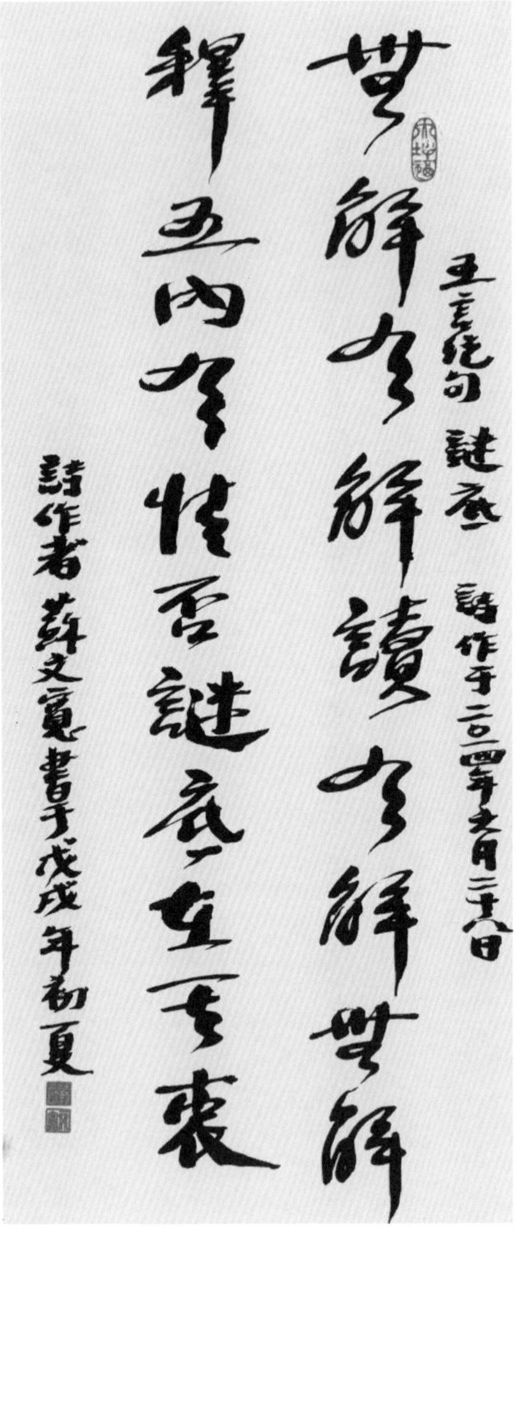

釋文

無解有解讀　有解無解釋　五內有情否　謎底在其衷

款文

五言絕句　謎底　詩作于二〇一四年六月二十八日　詩作者蘇文寬書于戊戌年　初夏

印文

起首印：大坤福

名章：蘇氏　文寬

萬里長城

釋文

萬里長城壯　沙場英雄膽　千里長江水　恰是好漢威

款文

七言絕句　萬里長城　詩作者蘇文寬書于二〇一八年　夏

印文

起首印：大坤福

名章：蘇氏　文寬

詩情書喻

作者以英雄膽、好漢威描繪出萬里長城和長江河水的遼闊與壯麗。

雨雪曲　**南朝陳・陳叔寶**

長城飛雪下，邊關地籟吟。濛濛九天暗，霏霏千里深。
樹冷月恆少，山霧日偏沈。況聽南歸雁，切思胡笳音。

舉凡唐代賀知章〈送人之軍〉、唐代汪遵〈杞梁墓〉、宋代陸游〈古築城曲〉等等，萬里長城一直都是為歷代詩人所稱道之對象；它除了是個地域的藩籬、時代的記憶、也是權力的表徵，光是透過文字窺探它的龐大壯闊，就能使人確切感受到自己的渺小。本詩題〈萬里長城〉首句便直接破題，提到了它的「壯」與「膽」，同時間也描繪了長江河水的遼闊與壯麗；一個是人造的威嚴、一個是大自然的鉅作，兩者相輔相成譜出了一片普通世人絕對難以想像的樂章，也一部分暗喻了些許人定勝天的志氣。而這些氣勢磅礴的場景，彷彿有著岳飛〈滿江紅〉中那種「壯志飢餐胡虜肉，笑談渴飲匈奴血。」的霸氣，也讓我們想起了那些在沙場上馳騁的英雄豪傑們。

該幅作品以立軸方式作呈現，正文為左右共兩行、一行十字排列之五言絕句；前面未有詩題，而是同書家題名及書作日期分作兩行整齊俐落置於落款處。整體上疏下密，版面設計蔚為趣味。

本詩篇以萬里長城為主角，內容相當波瀾壯闊，書法也十分切題地呈現了如此風格；全幅走筆行氣恣意豪放，用墨濃厚粗獷，徹底地還原了書家在萬里長城與長江水前所被激發的那股霸氣。通篇相當多之重筆，如「膽」字、「江」字、「漢」字等之中的豎筆，都讓讀者加倍了第一眼便豪氣萬千的印象。與其說是書家嘗試臨摹英雄好漢的氣息，更應該理解為在書作的當下，書家儼然也成為了一個英雄好漢，才能擁有這般傾瀉而出的磅礡氣勢。

南朝陳的末代皇帝陳叔寶，也曾根據萬里長城的意象作了〈雨雪曲〉。在邊疆塞外的大雪紛飛裡，孤獨聳立的萬里長城更顯得落寞詭譎。山巒、樹木，都變得晦暗不明；應照耀大地的日月，也變得黯淡無光。劃破一片死寂的，就只有離去的雁，與蕭瑟的胡笳餘音。這樣的景象，徹底展現了作者的萬念俱灰，也預示了該朝代的衰亡結局。但就這同樣的建築物，到了此詩篇〈萬里長城〉中卻演示了截然不同的面貌。那是種「仰之彌高，鑽之彌堅」的景仰，帶有些許地畏懼；崇拜那樣的風骨，卻又被那叱吒風雲的氣勢給深深震懾著。搭配著長江河水的壯闊，詩人甚至將它們比喻作那些令人崇敬的英雄好漢，警醒世人的同時也提醒自己，一定要有那樣的胸懷與心志，才能成就一番為人稱頌的事業、成為他人的楷模。就像長江與萬里長城一般，永世為人所景仰。

本詩作〈萬里長城〉開門見山地描述了眼見長城與長江時的震懾感受，那氣勢磅礡的場面，也令作者想起了許多蓋世英雄的各種豐功偉業，並期許自己也要保有這樣的胸懷。

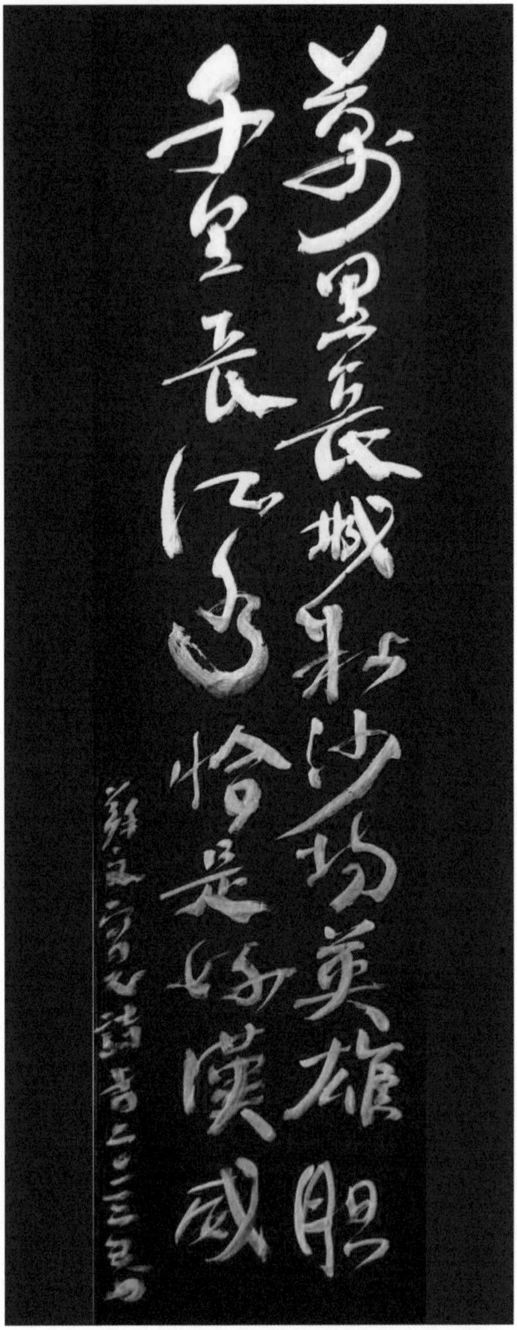

英雄膽　好漢威

釋文
萬里長城壯沙場　英雄膽　千里長江水恰是　好漢威

款文
蘇文寬詩書　二〇二三　五月

印文
起首印：大坤福　名章：蘇氏　文寬

只盼期相約

釋文

不知月盈缺　只盼期相約　秋雁低飛過　傳來雁語歌

款文

五言絕句　只盼期相約　詩作者蘇文寬詩書一體　二〇一八年　秋

印文

起首印：大坤福　名章：蘇氏　文寬

詩情書喻

作者以月亮盈缺與秋雁低語描繪寂靜，以襯托出內心迫切的思念與期待相約之情感。

柳梢青・送盧梅坡　宋・劉過

泛菊杯深，吹梅角遠，同在京城。聚散匆匆，雲邊孤雁，水上浮萍。教人怎不傷情。覺幾度、魂飛夢驚。後夜相思，塵隨馬去，月逐舟行。

本詩篇乃一藉物抒情之作，以盈缺不明的月亮以及低語展翅的秋雁為寄託，帶出「思念」的主軸。「思念」其實一直都是許多抒情詩作中經常提及的對象，有時思念的是朋友，有時是思念自己人生中的貴人，甚至有時就是單純地思念過去的某些美好時刻。因為正是這些記憶成就了我們，不管是好的、壞的，它們都是我們人生中不可或缺的一部份；也因此可想而知，「思念」幾乎是全世界人類都絕對會擁有的共同體驗。而本篇〈只盼期相約〉正是傳達了這樣的心緒，但詩人卻刻意地未提及令自己思念的那個對象，留予讀者一些想像空間、自行填入詩內的那個空白，或許也更能體會詩人在詩作當下的那種思念之情。

該幅作品以立軸方式作呈現，正文為接連排列之五言絕句。前面僅有書作日期「二〇一八年 秋」而未有詩題；詩題「只盼期相約」則是同書家題名分作兩行交錯排列置於落款處，落款錯落有致，姓名章在隔間展現。

全幅行氣輕捷生動，各式的連筆、虛筆強化了文字間的流暢與活動度；變化萬千的留白變化交錯於字體間，如首句之「知」字與末句之「語」字中刻意延伸之橫筆，也營造出了「秋雁低飛」的動態感。內文中全詩詩眼「盼」字更是加倍地流暢花俏，顯示出了即便有著「思念」之苦，卻仍願引頸期「盼」的樂觀。最後兩行交錯排列之落款，好似在模擬秋雁南飛的景緻，也加強了上述期待再次相約的意象。

南宋文劉過與盧梅坡乃是摯交好友。在他們分隔兩地之後，劉過寫下了這麼一闕詞〈柳梢青．送盧梅坡〉。前半提到了他們共享的那些把酒言歡等美好回憶；只是好景不常，他們都是漂泊不定的遊子，正如雲邊孤雁，亦如水上浮萍，因此，「分離」便成為了一個無可奈何的必然。作品後半則是詳細地描述劉過對於盧梅坡的各種思念、魂牽夢縈，多希望自己能像灰塵一般緊緊跟在友人的馬後，又希望自己能像那輪明月般時時陪伴在友人的船旁。而時隔近千年後的作品〈只盼期相約〉，雖然我們讀者並不清楚，令作者思念的那個對象究竟是誰，但仍能從簡潔的字句中感受到的層層積累的思念；說巧不巧，本詩篇也和〈柳梢青．送盧梅坡〉一般，不約而同地再次使用了「月」、「雁」等意象作為對於「思念」情緒的投射，只不過〈只盼期相約〉展現出的情緒少了一點淒苦、多了一點積極；可看出詩人在思念的同時也想告訴我們，思念並不是沉淪，而是為茫茫漂泊的人生找出一縷意義與方向，讓我們更願意珍視眼下的生活，並為了那重逢的美好繼續堅強地前進。

本詩作〈只盼期相約〉以常見的「月」、「雁」等意象作為對於「思念」情緒的投射，表達了對某人的深切想念。

美麗天天

釋文

今晚幾點睡著　陪伴愉悅入睡　明晨醒來很好　帶著美麗相對
望眼看星看月　闔眼隨心而醉　醉夢星月相悅　張眼心志不墜
晨曦破曉時光　萬紫千紅乍現　起身充滿希望　就是美麗天天

款文

六言詩　美麗天天　二〇一九年　六月　詩作者蘇文寬書于台北

印文

起首印：大坤福　名章：蘇氏　文寬

紅葉片

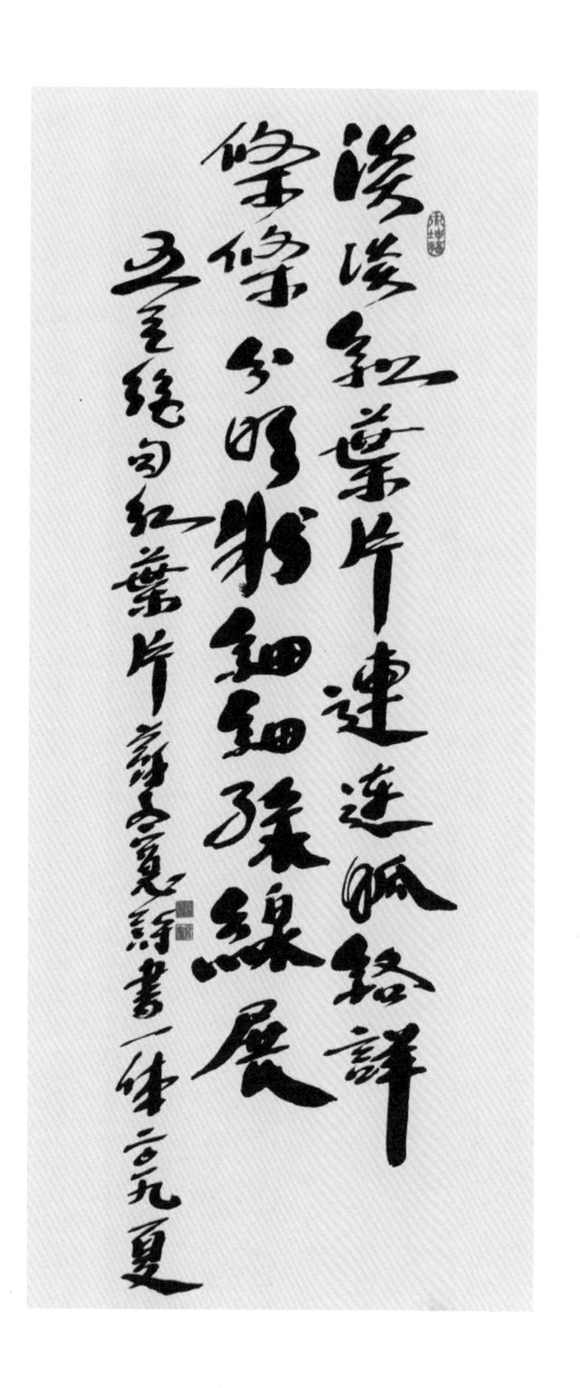

釋文

淡淡紅葉片　連連脈絡詳　條條分明狀　細細線線展

款文

五言絕句　紅葉片　蘇文寬詩書一體　二〇一九　夏

印文

起首印：大坤福

名章：蘇氏　文寬

詩情書喻

本詩寫下作者對葉片的細微觀察，以不同角度與面向去形容其脈絡的延伸。

天淨沙・秋　　元・白樸

孤村落日殘霞，輕煙老樹寒鴉，一點飛鴻影下。
青山綠水，白草紅葉黃花。

「橫看成嶺側成峯，遠近高低各不同。不識廬山真面目，只緣身在此山中。」北宋蘇軾的〈題西林壁〉乃是一家喻戶曉的作品，句句皆是經典；其中前兩句，常被用來解釋一個道理：同一個東西，若從不同角度看，或許就會看到不同的結果。人生其實也常常是這樣。當我們與他人發生爭執時，當下總覺得自己是對的、別人是錯的；但真的是這樣嗎？過了一段時間冷靜下來、或是退後幾步看到完整脈絡時，我們會發現到，原來之前我們看到的不是事件全貌，只是一小部分；我們當初爭執的「是非」，其實不過就只是不同的「立場」罷了。本詩篇〈紅葉片〉用了不同角度與面向，去對於葉片的各種脈絡延伸作了觀察與紀錄，除了描繪出了葉片的完整細節，亦是直接用行動去示範，一種「橫看成嶺側成峯」的智慧。

該幅作品以立軸方式作呈現，正文為左右共兩行、一行十字排列之五言絕句；前面未有詩題，而是同書家題名及書作日整齊俐落置於落款處。

全幅行氣質樸、走筆頗具象形文字之原始感；幾處交錯的提筆與重筆富有巧思，營造出枝葉交雜的生意盎然。提筆處如首句「葉」字中的橫筆、第二句「詳」字中的橫筆等，而重筆處則如第二句「詳」字中的豎筆、末句「展」

字中的捺筆等。除此之外，刻意安插的疏密留白以及字體大小，也正如葉片脈絡般的朝向四面八方延伸，饒富趣味。

元代白樸的小令〈天淨沙・秋〉，內容在描述秋日傍晚，每個角落的各式景象；口銜西山的落日、逐漸消散的晚霞、四處飄起的淡霧、老樹歇息的烏鴉、遠方的青山綠水、眼前的楓葉黃花，無一不是秋日標誌性的意象，通篇卻未提及任何「秋」字，意境卻更加深遠、韻味無窮。這種用各種感官、各種角度去深入剖析一物的手法，在本詩篇〈紅葉片〉當中更是毫不掩飾地展現給了大家。詩人用了諸多不同角度和面向，僅為了描述一個尋常葉片的紋理，看似單純易懂，實則意境深遠；詩人用這種托物言志的詩句，希望提供我們一個做人處事的好工具，也就是一種「換位思考」的能力。人其實都是主觀而保有私心的，從自己的角度作為出發點看待事情，其實就是一種與生俱來的能力，沒什麼好否定或為之感到羞恥的；但隨著年齡和學識逐漸稱長，我們會發現到這樣的本性其實不僅儘可能得罪人，對於自己的成長也毫無幫助。原來，沒有人能真的知曉全部的事情，或許人的一生也只能如瞎子摸象般，永遠只能從一個輪廓去猜測真相；也因此，我們更應該去熟悉，不斷換位思考的能力，才不會以井窺天、以蠡測海。

本詩作〈紅葉片〉看似為描述尋常的自然景觀，實則為另一首托物言志的作品；作者試圖以不同角度介入分析葉片的紋理，以藉此喚醒世人這般換位思考的能力。

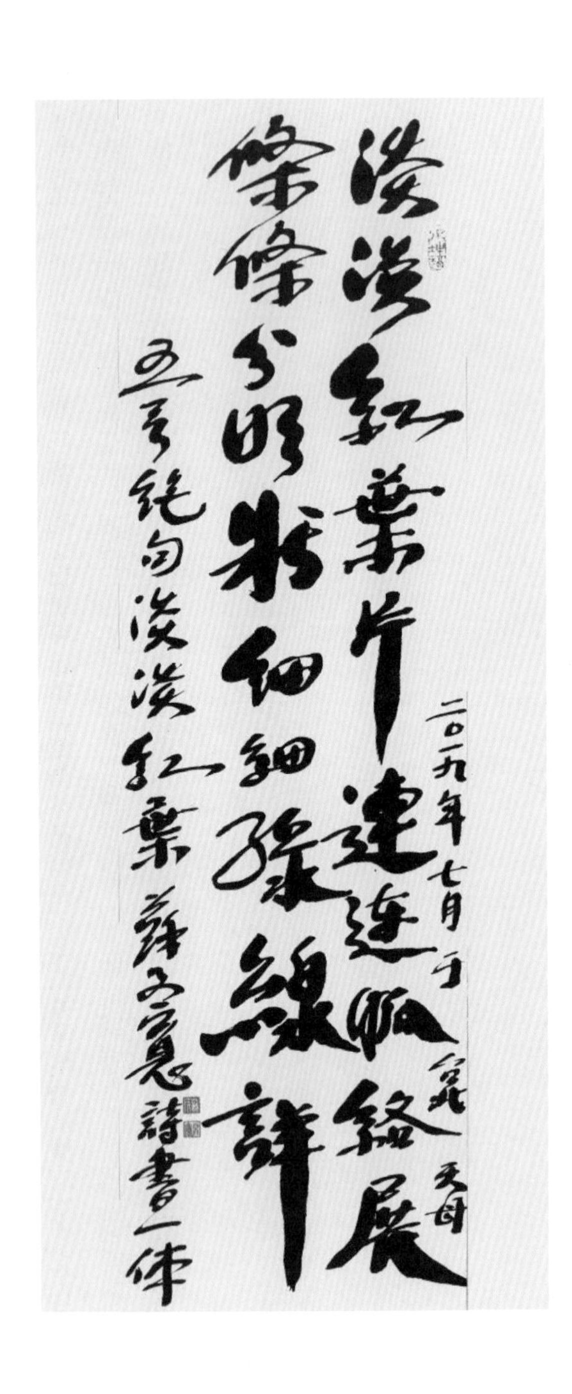

淡淡紅葉片

釋文

淡淡紅葉片　連連脈絡展　條條分明狀　細細線線詳

款文

五言絕句淡淡紅葉片　蘇文寬詩書一體　二〇一九年七月于台北天母

印文

起首印：大坤福　　名章：蘇氏　文寬

萬丈輝

釋文

西邊天空萬丈輝　中有金霞瑪瑙繪　若欲駕霧騰雲起　可見地上兩金櫃

款文

七言絕句　萬丈輝　蘇文寬詩書一體成型二〇一九年八月一日

印文

起首印：大坤福　名章：蘇氏　文寬

迎頭趕上

釋文

照吾無眠熱血中　勢揮中原逐鹿功　望其項背怎落後　迎頭趕上在其中

款文

詩作者蘇文寬　書于台北　二〇一九年　八月

印文

起首印：大坤福

名章：蘇氏　文寬

雪將冰花

釋文

雪將冰花冬玉落　星月寒光遠近柔　薄莎厚裘思齊安　夜深人靜簡醇久

款文

七言絕句 雪將冰花　詩作者蘇文寬詩書一體　二〇一九年深秋

印文

起首印：大坤福

名章：蘇氏　文寬

雪將冰花

釋文

雪將冰花冬玉落　星月寒光遠近柔　薄莎厚裘思齊安　夜深人靜簡醇久

款文

蘇文寬詩書一體　二〇一九年九月台北

印文

起首印：大坤福

名章：蘇氏　文寬

雪將冰花　節錄

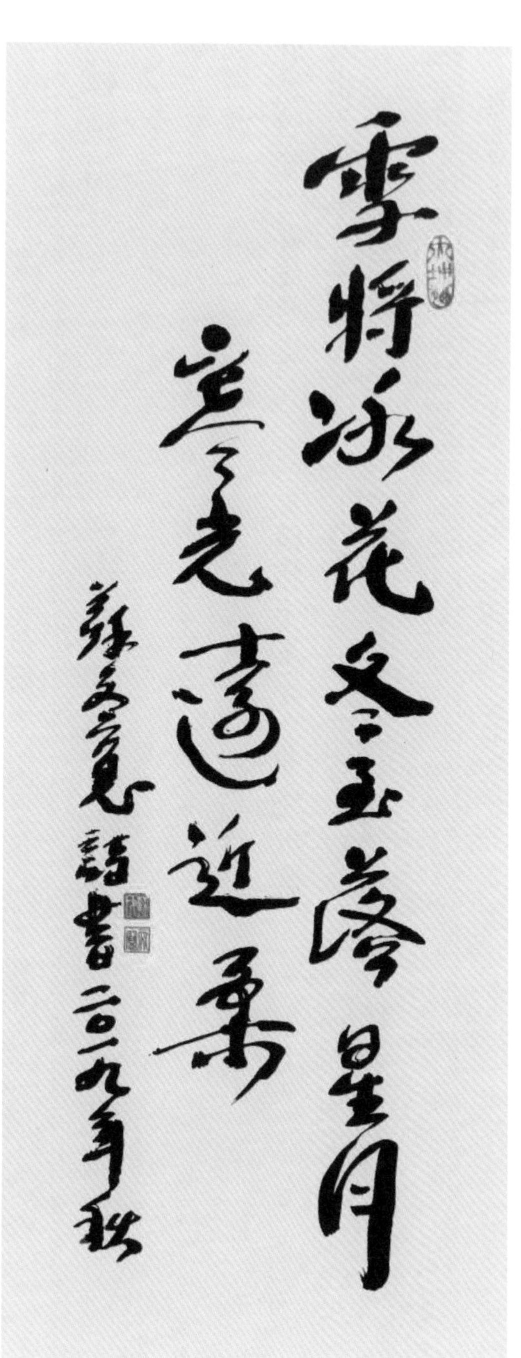

釋文
雪將冰花冬玉落　星月寒光遠近柔

款文
蘇文寬詩書二〇一九年　秋

印文
起首印：大坤福
名章：蘇氏　文寬

秋風蕭

釋文

秋風蕭蕭兮　情豪志壯　易水寒寒兮　萬馬奔騰
銅肝鐵膽兮　群雄驚退　橫掃千軍兮　叱吒風雲
無人出右兮　好漢壯志

款文

蘇文寬詩書一體　二〇一九年秋

印文

起首印：大坤福　名章：蘇氏　文寬

流水年華

釋文

流水年華無盡頭　就是日月兩意走　月給日笑日一樣　天作之合情柔柔

款文

蘇文寬詩書一體　二〇一九年秋

印文

起首印：大坤福　名章：蘇氏　文寬

萬翠一紅帆

釋文

檀香清芬美心得　湛藍波海沉著多　滿山蒼翠一紅帆　凡塵怎能山多說

款文

蘇文寬詩書一體　二〇一九　秋

印文

起首印：大坤福

名章：蘇氏　文寬

文有青山綠水

釋文

文有青山綠水悠　春風落竹幾多柔　自在笑來是知音　鷹飛蝶舞好自由
展翅之揮大小意　就在良辰緣來吉　可知靈犀一點通　舞蝶飛鷹互知惜

款文

蘇文寬詩書一體　二〇一九十一月

印文

起首印：大坤福
名章：蘇氏　文寬

翱翔遊

釋文

開懷的奔馳南北走　蔚藍的天空遨翔遊　感動的情誼八方在　牆上的經綸幾萬載

款文

詩書一體創作者蘇文寬書于　二〇二〇元月二十日

印文

起首印：大坤福

名章：蘇氏　文寬

詩情書喻

作者吟誦自身遊歷世界各地，稱揚朋友彼此讀書萬卷習得新知、經綸滿腹。

秋浦歌　　唐・李白

邏人橫鳥道，江祖出魚梁。
水急客舟疾，山花拂面香。

張九齡〈送韋城李少府〉：「送客南昌尉，離亭西候春。野花看欲盡，林鳥聽猶新。別酒青門路，歸軒白馬津。相知無遠近，萬里尚為鄰。」真摯的友情不因時空相隔而漸轉淡漠，觀唐代名相張九齡此詩，先寫送友離別，再寫歸途時曾與舊友共賞山水、把酒言歡之經過，歷歷鮮明，最後道出「相知無遠近，萬里尚為鄰」，銘記朋友之間的相知相惜。本詩題為〈翱翔遊〉體為新體而詩境與張九齡相仿，開篇「開懷的奔馳南北走，蔚藍的天空遨翔遊」，先寫朋友各自南北奔馳，在彼此的領域中展翅遨翔；三、四句「感動的情誼八方在，牆上的經綸幾萬載」再敘情誼不改，八方猶存，正如牆上經綸典藉淵源載厚，只有因年積日久而更加真摯醇厚。

本帖為條幅直書作品，書法以行草為主，一共四行結構，一至三行，行文重心往下，第四句突出比興，字距疏闊，結體瀟灑，成為整副作品的視覺焦點。筆勢磊落，「經」、「綸」二字點畫渾圓尤見淳厚凝重風采，整篇作品舒緩灑脫，表現出樸拙中見真巧的筆意，與詩文主題「朋友之義」相互呼應。起首與落款皆在右側，前所未見，未有詩題，比例佈局分配頗有巧思。

虞世南〈筆髓論〉曰：「太緩而無筋，太急而無骨，橫毫側管則鈍慢而肉多，豎管直鋒則乾枯而露骨。終其悟也，粗而能銳，細而能壯，長者不為有餘，短者不為不足。」指作者運筆行氣不可太緩、太急，方能免於無筋無骨的貧弱之態，運筆用墨有所體悟之後，才可達到「粗而能銳，細而能壯」的境界。觀本帖作品，不求行距、結字之均匀對稱，有意側重末句為重心，形體大小殊異而筋骨遒勁。起筆「開」字輕提宛轉，筆勢灑落，「奔馳南北走」五字連綿而下，用筆墨動態將各奔東西的情景具象化；第二行「翱翔遊」三字如飛鷹掠水，氣勢渾厚；第三行「感動」二字運筆自然錯落，突顯天真之情；第四行「牆上的經綸幾萬載」為全帖重心，形體偏大字距拉寬，點畫跳宕而富有書家個人筆鋒特質，既渾圓遒勁又瀟灑不羈，足見縱橫開合之筆態。

李白〈秋浦歌〉云：「邏人橫鳥道，江祖出魚梁。水急客舟疾，山花拂面香。」與朋友同坐客舟，浮泛滄浪之上，允為太白生平樂事，古今詩人談述知己暢懷之情雖多，而不傷別離者卻少，作者在〈翱翔遊〉中不以身外景物為比、興，直抒胸懷道出「開懷奔馳」、「翱翔天空」，將朋友相聚如鷹鳥倨傲穹頂，無論在何地何時，四面八方都有相知相惜的友義，表達出「四海之內皆兄弟也」的襟懷，末了又以「經綸幾萬載」既稱揚朋友彼此的胸懷萬卷，又以經綸載厚比喻真摯交情，透露出「相逢意氣為君飲」英雄惜英雄之感，讀來別感豪壯。

本詩題為〈翱翔遊〉，寫四方好友知己各自如飛鷹縱橫天際，翱翔於穹蒼之間，雖來自八方各界然而深厚友誼長年不改，表現友人相知相惜，如萬卷經綸日載月厚，彼此相交日久，愈見情感真厚不虛。雖未明言交誼淵源，讀來隱然有英雄惜英雄之慨。

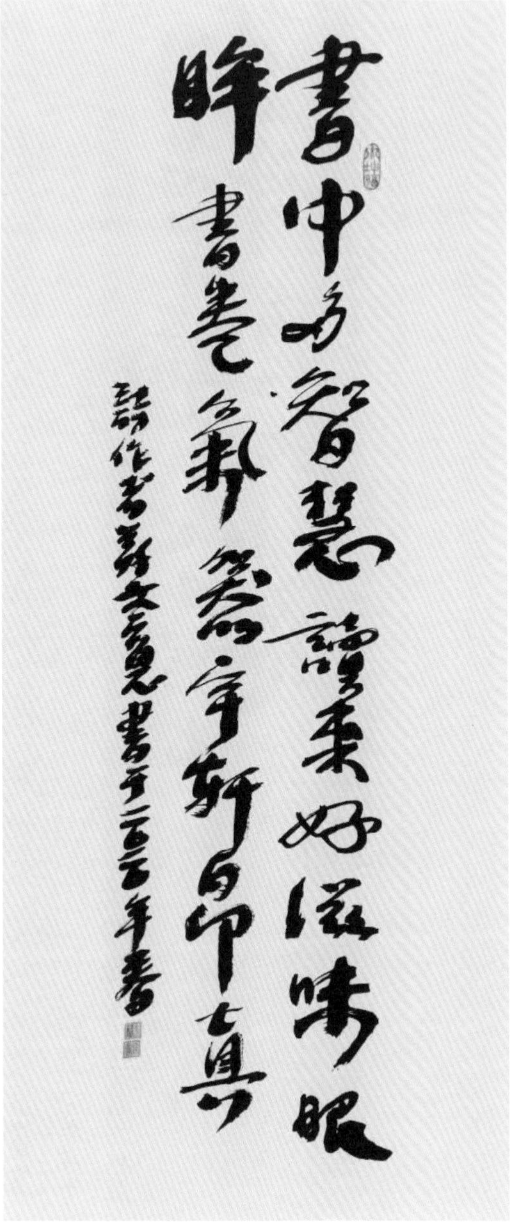

書卷氣

釋文

書中多智慧　讀來好滋味　眼眸書卷氣　器宇軒昂真

款文

詩作者蘇文寬　書于二〇二〇年　春

印文

起首印：大坤福

名章：蘇氏　文寬

早曦

釋文
魚肚方白時　早曦正心書
萬丈曙光輝　愛在知音隨

款文
詩作者蘇文寬書于
二〇二〇年　初夏
詩作者蘇文寬書
二〇二〇年書于清明

印文
起首印：大坤福
名章：蘇氏　文寬

詩情書喻

以魚肚、早曦、曙光描繪早晨陽光升起之景，末句以愛在知音隨帶出內心的感悟，能夠擁有一個理解自己的人伴隨在身邊是最幸福不過的事了。

人生交契無老少，論交何必先同調。妻子山中哭向天，須公櫪上追風驃。鳳翔千官且飽飯，衣馬不復能輕肥。青袍朝士最困者，白頭拾遺徒步歸。明公壯年值時危，經濟實藉英雄姿。國之社稷今若是，武定禍亂非公誰。

徒步歸行　唐・杜甫

魚玄機〈贈鄰女〉：「羞日遮羅袖，愁春懶起妝。易求無價寶，難得有情郎。枕上潛垂淚，花間暗斷腸。自能窺宋玉，何必恨王昌？」人間世態炎涼，索求真心不易，魚玄機以自身經歷寫出「易求無價寶，難得有情郎」，正是慨歎愛侶知己難得，重情義而輕利益者更稀也。本文題為〈早曦〉，詩中光景與魚詩相同，都是天際「魚肚方白時」曙光破曉之刻，詩人描述自己「早曦正心書」，在向陽窗下看見萬丈曙輝，令人滿懷希望與能量，真正使詩人慶幸的是「愛在知音隨」，身邊有平生所愛之人相伴。人世間熙來攘往，「蝸牛角上爭何事，石火光中寄此身」得一知己者足矣。

本帖為條幅直書，一共分為兩行，運筆以行草體勢為主。起筆「魚肚」二字一筆揮就，絕無凝滯，「曦」、「正」、「萬」雖以行草筆畫，而勾勒圓滿徐緩，可見書家下筆時內心圓融遍照。第二行「曙光輝」三字筆畫連綿，真力不斷，當是全文詩眼，亦是筆勢墨色最為從容所在。末句「知音隨」三字結體欹側，重心左右交替，形成如節奏般的視覺美感。

〈筆髓論〉曰：「草（書）即縱心奔放，覆腕轉蹙，懸管聚鋒，柔毫外拓，左為外，右為內，起伏連轉，收攬吐納，內轉藏鋒也。」本文寫作處處可見「柔毫外拓」、「起伏連轉」的筆墨手法，用筆雖介於行草之間，用墨自然表現出枯溼漸層的變化。首句「魚肚方白時」，「魚肚」運筆連綿，「白」字以枯墨呈現，呼應破曉之刻天際初明；下半行「曦」、「萬」字圓畫迴環妙轉，收放自然；第三行「曙光輝」三字用墨淋漓，不矜枯潤而自顯妙趣，允為本篇文眼；末句愛在知音隨，「愛」字捺筆渾厚，「知音隨」三字結體欹側變化，如書論「左為外，右為內」，書家收攬吐納全由自然，筆法圓潤有致，為內在心境慈愛充盈之外顯。

杜甫〈徒步歸行〉：「明公壯年值時危，經濟實藉英雄姿。國之社稷今若是，武定禍亂非公誰。鳳翔千官且飽飯，衣馬不復能輕肥。青袍朝士最困者，白頭拾遺徒步歸。人生交契無老少，論交何必先同調。妻子山中哭向天，須公櫪上追風驃。」杜少陵藉此詩指出世間名利、榮華皆屬變動不居，一日「衣馬不復能輕肥」之時，才知「人生交契無老少」的艱困。徒步歸行之際，只有「妻子山中哭向天」，原知世間只有攜手夫妻，才願意不捨枯榮長相隨。本詩〈早曦〉意同此境，由「魚肚方白時」以比興手法寫起，在早曦時分迎接萬丈曙光輝，由詩眼中看去，陽光之所以能抖擻精神，乃是愛侶知音相隨身邊。藉此提醒世人「不如惜取眼前人」，用真心實意對待相知相守的伴侶，方是生命圓滿之道。

本詩題為〈早曦〉，是寫清晨時分詩人面對日出的萬丈曙光，感受到生命的希望與幸福感，源於身邊攜手相伴的愛侶知音，藉此表現「惜取眼前人」的積極生命感悟，提醒世人若有幸得知音伴侶相隨，當善自珍惜相處的每一刻。

難不相思

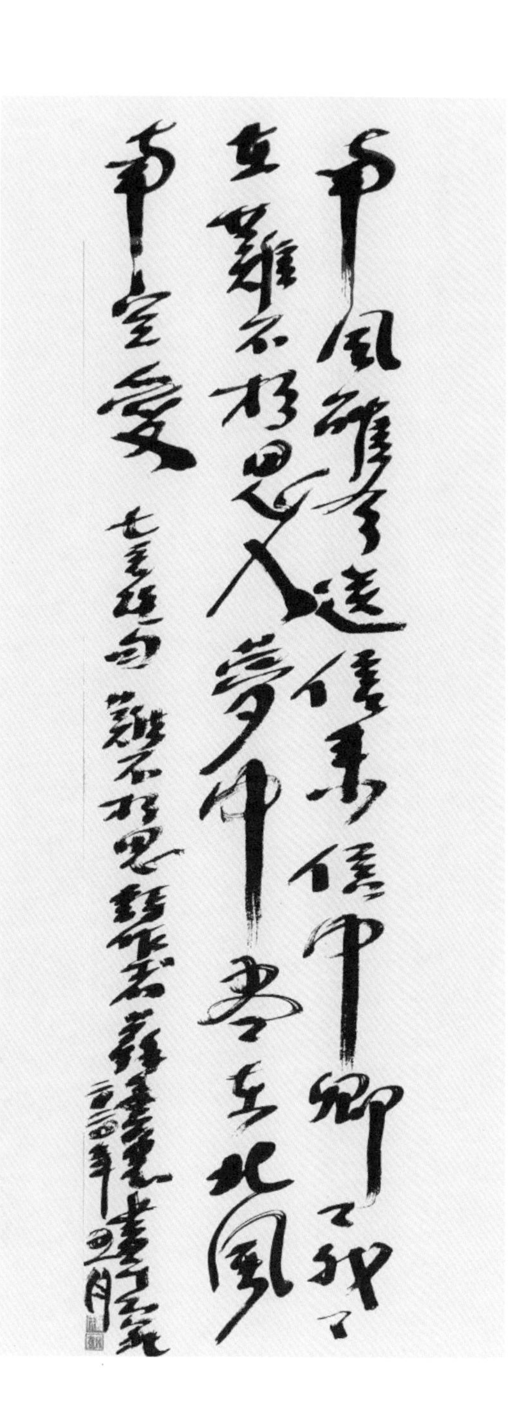

釋文
南風確有送信來　信中卿卿我我在　難不相思入夢中　盡在北風南空愛

款文
七言絕句　難不相思　詩作者蘇文寬書于台北　二〇二〇年五月

印文
起首印：大坤福
名章：蘇氏　文寬

天籟灑秋香

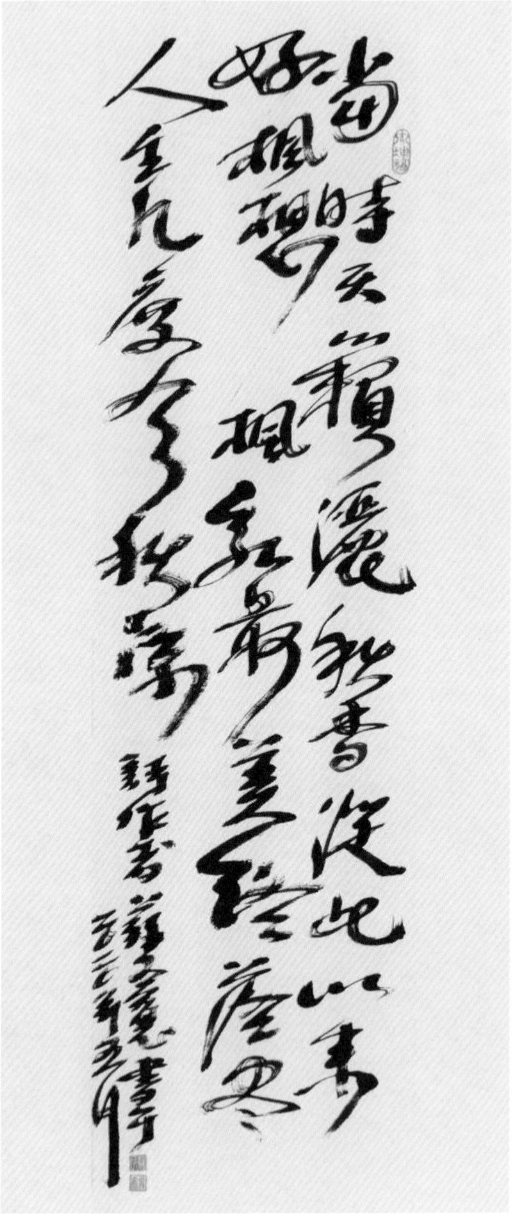

釋文

當時天籟灑秋香　從此以來好楓想　楓紅最美終落盡　人生幾度有秋涼

款文

詩作者蘇文寬書于二〇二〇年五月

印文

起首印：大坤福　名章：蘇氏　文寬

神采奕奕

釋文

神采奕奕狀　我心身清爽　舉頭望青空　白雲飛鳥動

就在這一刻　沙場英雄膽　就在這一刻　恰是好漢威

萬里長城壯　我心振奮昂　千里長江水　心志永不墜

款文

二〇二〇年六月三十日　五言樂府詩神采奕奕　詩作者蘇文寬書于台北

印文

起首印：大坤福

名章：蘇氏　文寬

唐宋距今

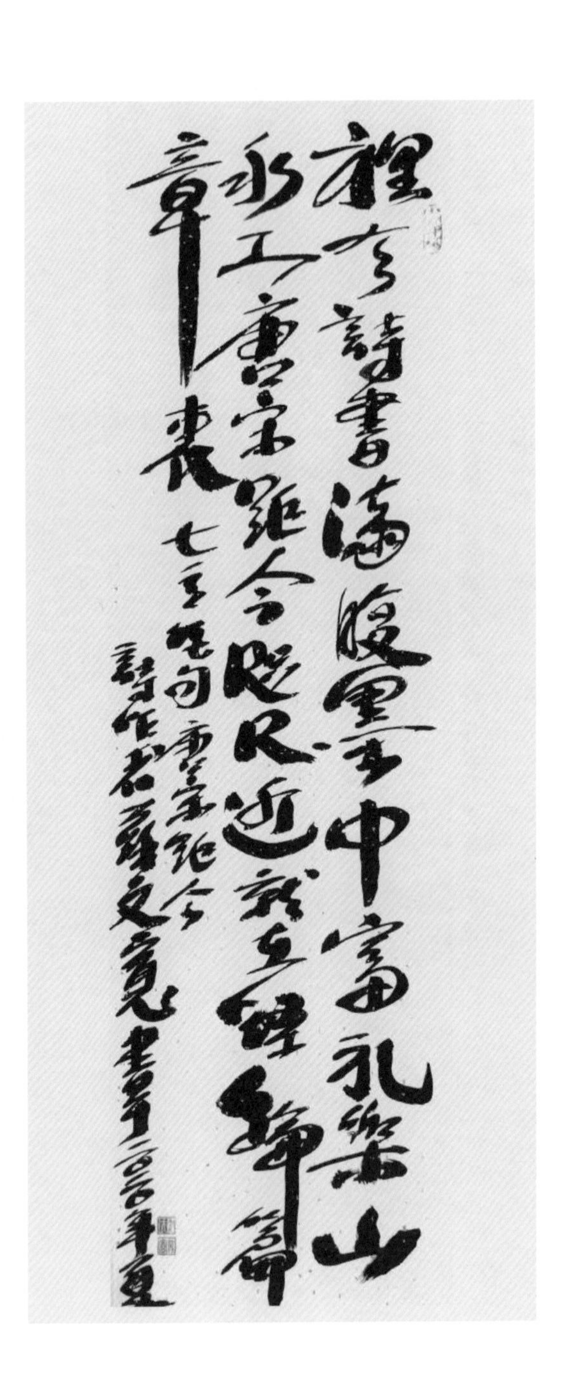

釋文

裡有詩書滿腹墨　中富禮樂山水工　唐宋距今咫尺近　就在經綸篇章衷

款文

七言絕句　唐宋距今　詩作者蘇文寬書于二〇二〇年　夏

印文

起首印：大坤福　名章：蘇氏　文寬

大汗顆顆

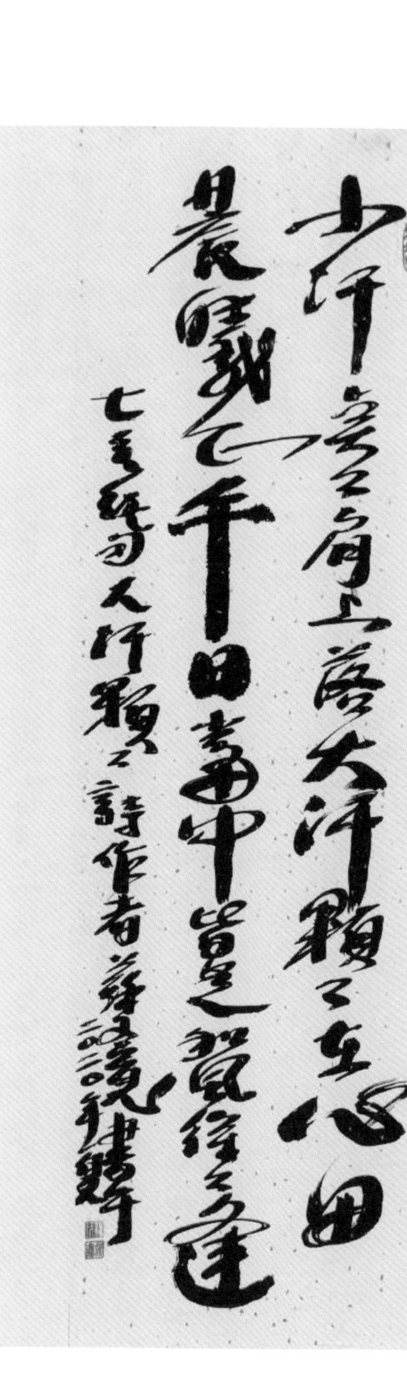

釋文

小汗點點肩上落　大汗顆顆在心田　晨曦正午日當中　皆是和風徐徐逢

款文

七言絕句　大汗顆顆　詩作者蘇文寬　書于二〇二〇年　夏

印文

起首印：大坤福　名章：蘇氏　文寬

詩情書喻

作者描繪出晨間至日正當中時段奮邁向前，淋漓間適逢和煦微風將炎熱一掃而空。

夏意　　宋・蘇舜欽

別院深深夏席清，石榴開遍透簾明。
樹陰滿地日當午，夢覺流鶯時一聲。

杜甫〈夏夜嘆〉：「永日不可暮，炎蒸毒我腸。安得萬里風，飄颻吹我裳。昊天出華月，茂林延疏光。仲夏苦夜短，開軒納微涼。虛明見纖毫，羽蟲亦飛揚。物情無鉅細，自適固其常。」少陵此詩寫夏日炎蒸之毒，原待萬里風吹來消解酷暑，雖有「仲夏苦夜短」之嘆，但愈是艱難之境，愈使詩人得以從虛明中見纖毫，終而感悟「物情無鉅細，自適固其常」的道理。詩題〈大汗顆顆〉，亦寫夏日下大汗淋漓之態，首句「小汗顆顆肩上落」寫酷夏逼人出汗；次句「大汗顆顆在心田」寫炎蒸之毒傷及情性；三、四句「晨曦正午日當中，皆是和風徐徐逢」筆鋒一轉，寫造物送來徐徐和風，將夏之炎毒一掃而空，反映出詩人最後體會自然變化「自適固其常」的沖和心態。

本帖為條幅直書作品，運筆以草、行體勢為主，一共為兩行結構。綜觀全篇用墨枯潤有致，揮灑蒼勁。結體或欹或正，而行距儼然齊整，呈現出既錯落又勻稱的視覺美感。前面起首印，使用朱砂泥印，未有詩題，題目姓名、時間於與落款出現，姓名章兩印，在落款末端靠左，亦為朱砂泥印。

東坡云：「大字難於結密而無間，小字難於寬綽而有餘」書法若過於工整，則易流於呆板、生硬，因此如在字與字之間營造動態變化，端賴作者筆力佈局。本作〈大汗顆顆〉，大字點畫圓潤，小字徐緩沉穩，各得其適且映照對比，造就書家個人的強烈風格。首句「小汗點點肩上落」，「小」與「汗」點畫相連，疏闊奔放，「肩上落」排佈轉密，橫畫輕提別顯細致；次句「大汗顆顆在心田」，「大汗」筆墨雄厚，「顆」氣勢若驟雨疾馳；「心」字點畫跌宕，墨色由濃至淡，行氣毫無遲滯，當是全詩文眼；三句「晨曦正午日當中」，結體欹側多變，「午」字豎筆沉雄最顯特色；末句「皆是和風徐徐逢」連寫小字製造出空間壓縮感，前上句大筆構成形式對比之美，末了「逢」字輕提重捺，寫來丰神爽利，恰呼應詩句裡和風緩解焦灼，予人明暢爽快之感。

蘇舜欽〈夏意〉：「別院深深夏席清，石榴開遍透簾明。樹陰滿地日當午，夢覺流鶯時一聲。」詩人寫夏景多以自然物色作為比興，劉勰在〈文心雕龍〉中說道：「春秋代序，陰陽慘舒，物色之動，心亦搖焉。」陰陽慘舒正是詩人發生感動，心搖筆落的開端。觀本詩〈大汗顆顆〉亦是「物色」所動之作，先寫身軀為「小汗」所浸，再寫內心的「大汗」煩悶，三、四句「晨曦正午日當中，皆是和風徐徐逢」指出夏日正午吹來一陣和煦微風，物色之動亦改變作者心境，原先的炎熱之感一掃而空，雖寫夏日景色卻隱然一股清涼意在其中，達到「物情無鉅細，自適固其常」的情境昇華，也顯示書家超脫物色所動，以自然應自然的沖和心態。

本詩題為〈大汗顆顆〉，以草、行筆勢為主，大字與小字結體錯落有致，點畫圓滿、筆力豐沛，正是作者特色。詩中一、二句寫小汗與大汗之別，表達酷暑之下的心境感受；三、四句寫和風徐來，吹散夏日炎熱，作者受物色所感，瞭解物事「自適固其常」，酷夏之下當有汗水蒸騰，皆是造化自然表現，不須為此傷神。

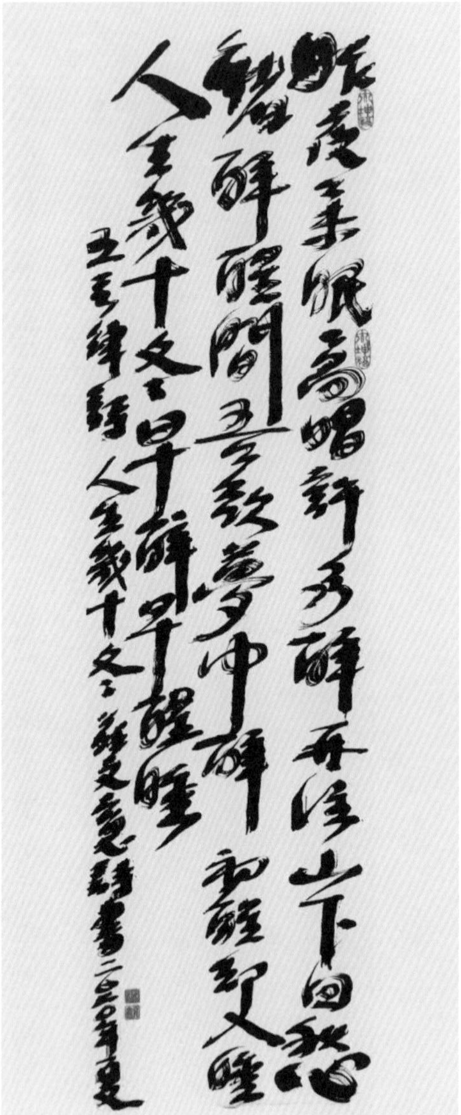

人生幾十冬

釋文

昨夜夜未眠　高唱許多醉　再往山下回　愁緒醉醒間

吾欲夢中醉　初醒卻入睡　人生幾十冬　早醉早醒睡

款文

人生幾十冬　蘇文寬詩書　二〇二〇年　夏

印文

起首印：大坤福

名章：蘇氏　文寬

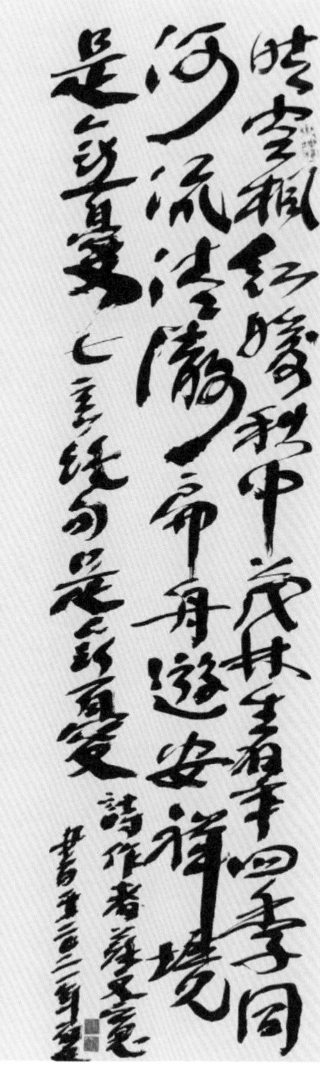

是無憂

釋文

晴空楓紅暖秋中
茂林生翠四季同
河流清澈扁舟遊
安祥境界是無憂

款文

七言絕句是無憂
詩作者蘇文寬書于
二〇二一年
蘇文寬詩書
二〇二〇年　冬

印文

起首印：大坤福
名章：蘇氏　文寬

詩情書喻

秋季楓葉轉紅，山林一片蓊鬱茂密，在清澈的河流划著小船，如此平和安祥的景色使人忘卻了煩憂。

漁歌子・荻花秋　唐・李珣

荻花秋，瀟湘夜，橘洲佳景如屏畫。碧煙中，明月下，小艇垂綸初罷。水為鄉，篷作舍，魚羹稻飯常餐也。酒盈杯，書滿架，名利不將心掛。

趙執信〈秋暮吟望〉：「小閣高棲老一枝，閒吟了不為秋悲。寒山常帶斜陽色，新月偏明落葉時。煙水極天鴻有影，霜風捲地菊無姿。二更短燭三升酒，北斗低橫未擬窺。」古詩人多悲嘆秋殺時分萬物凋零，因而發出哀愁之音，如趙執信「閒吟了不為秋悲」世所少見，其眼中所見秋景是「寒山常帶斜陽色，新月偏明落葉時」，一派清新天然景象，自不必為悲而悲。本題為〈是無憂〉與趙執信所言「閒吟了不為秋悲」意境相同，詩人一、二句寫「晴空楓紅暖秋中，茂林生翠四季同」，述楓紅與茂林在暖秋中更為鮮明；三、四句「河流清澈扁舟遊，安祥境景是無憂」亦呼應前人「小閣高棲老一枝」在自適所得的情境下，內心感受的秋景是一片安祥寧靜，與庸者傷春悲秋之感大異其趣。

前幅起首作品為條幅直書作品，一共分三行結構，筆墨以行草筆勢為主，行距間隔緊密而筆畫勾勒疏闊，書家常以多筆合為一點畫，營造大氣磅礡的視覺之美。「晴」、「中」、「河」「清」等字，線條灑落有致，行氣舒緩氣韻不絕，雖寫秋時所感，全篇作品卻呈現盎然生機，允為妙筆。

古人云：「肥字須要有骨，瘦字須要有肉」，肥字失骨則鬆散，瘦字失肉則貧弱，觀本詩〈是無憂〉肥瘦相間，肥而有骨，瘦而有肉，更保有作者個人橫畫豎筆的天然風采。首行「紅」字簡略線條，點畫圓厚渾實，墨采盈然；「中」字筆畫灑脫，當枯則枯，當潤則潤；第二行「河流清澈」四字縱筆而下，一揮即就，點畫明白暢快；「扁舟遊」雖為瘦字，筆勢輕提細畫而骨力不減；「安」、「祥」勾勒疏闊，大筆如椽；末句「境景是無憂」連用豪壯捺筆，氣概充盈，間中又有「無」作為瘦字相參，呈現形體對比之美。

李珣〈漁歌子・荻花秋〉：「荻花秋，瀟湘夜，橘洲佳景如屏畫。碧煙中，明月下，小艇垂綸初罷。水為鄉，篷作舍，魚羹稻飯常餐也。酒盈杯，書滿架，名利不將心掛。」寫秋景日常而不流於悲愁哀苦，當源於詩人本身對生命境界的超脫了悟，方能常保清涼自在的心境，如李珣先寫秋景「碧煙中，明月下」，悠遊於水鄉間的生活使詩人得以「名利不將心掛」。觀本詩〈是無憂〉境同「名利不將心掛」一、二句極言詩人眼中秋景之盛，三、四句講述駕扁舟以遨遊的景象，在一篇安祥秋景之中，當真無憂無愁。實則人世悲愁苦樂，不曾無一日無之，唯詩人勘破名利枷鎖，方得到逍遙以遊無窮的「無憂」感悟。

本詩題為〈是無憂〉，一共為三行結構，運筆以行草體勢為主，肥字厚字灑落相間，錯映成趣，且點畫渾圓，墨采天然如新。詩文一、二句寫暖秋景色，三、四句寫駕扁舟徜徉河上，內心一片無憂無慮，唯已勘破名利不將心掛，而能擺脫外物所感，心中之四季如春亦如秋，常保安祥無憂之內心自適。

或漸老

釋文

人生或漸老　才知返童好　惟太極神功　讓我年輕早

款文

詩作者蘇文寬　二〇二〇年　十一月

印文

起首印：大坤福

名章：蘇氏　文寬

觸筆寫人生

釋文

觸筆寫人生　可大可小志　啟承轉折時　天人交戰處　就在這一刻　桃李春風吻

就是這一刻　沙場十年燈　星光自閃爍　月光明暗弱　日照有陰晴　志氣在其中

款文

五言樂府詩　蘇文寬詩書　二〇二〇年　台北

印文

起首印：大坤福

名章：蘇氏　文寬

詩情書喻

以詩句書寫寓喻人生之志向，並顯示出作者高昂的志氣。

詠史　晉・左思

弱冠弄柔翰，卓犖觀羣書。著論準過秦，作賦擬子虛。邊城苦鳴鏑，羽檄飛京都。雖非甲冑士，疇昔覽穰苴。長嘯激清風，志若無東吳。鉛刀貴一割，夢想騁良圖。左眄澄江湘，右盼定羌胡。功成不受爵，長揖歸田廬。

左思〈詠史〉：「弱冠弄柔翰，卓犖觀羣書。著論準過秦，作賦擬子虛。邊城苦鳴鏑，羽檄飛京都。雖非甲冑士，疇昔覽穰苴。長嘯激清風，志若無東吳。鉛刀貴一割，夢想騁良圖。左眄澄江湘，右盼定羌胡。功成不受爵，長揖歸田廬。」詩人為文敘其志氣懷抱，以左思才略最奇，其寫平生志向「長嘯激清風，志若無東吾」、「左眄澄江湘，右盼定羌胡」，語句雄渾豪壯，當真「氣吞萬里如虎」。本詩題為〈觸筆寫人生〉，將人生歷程所經之波濤險難，連用「啟承轉折」、「天人交戰」、「桃李春風」、「沙場十年」、「日照陰晴」等外在象喻，令讀者遙想興思，同生感慨。作者在詩中以「可大可小志」自詡，正如左思所言「鉛刀貴一割」，寄寓伸展抱負之情，末筆則言「志氣在其中」，似述言不盡意、意在言外，實則滿紙雄心表露無遺。

本詩為條幅直書作品，一共六十字，為四行結構，筆墨以行草體勢為主，多處運用草書筆畫，營造行氣緊密、靈動飛揚的線條之美。觀全篇用筆洋洋灑灑，點畫跳宕，墨色枯潤相間，自然飄逸，頗似名士舞劍之態，而波磔處筆觸雄健，結體欹側錯落，足可想見運筆時激昂痛快之情。上款引首印為雅趣閑橢圓章印，朱砂泥，落款雙行，右側姓名章兩方。

虞世南〈筆髓論〉云：「如騰猨過樹，逸虯得水，輕兵追虜，烈火燎原。或氣雄而不可抑，或勢逸而不可止。縱狂逸放，不違筆意也。」此敘草書體勢之要，線條型態如飛猿攀登、虯龍穿水；或如縱兵追寇、火燒連營，常在表現線條結構之間所呈現的「迅疾」之感。書家本詩〈觸筆寫人生〉，首句「觸筆寫人生」猶見行、草互用體勢，愈到後來筆勢縱橫，愈顯迅疾星火之態，如「處」、「就」、「燈」、「照」、「有」等字，筆畫恍惚激宕，當真「縱狂逸放」，然則字體形勢自然天成，不違筆意，是用漸趨抽象的線條，表達強烈的內心抱負，全篇墨色枯潤變化如歌如訴，讀來倍覺痛快。

陸游〈冬夜讀書示子聿〉：「古人學問無遺力，少壯工夫老始成。紙上得來終覺淺，絕知此事要躬行。」對古詩人而言，學問決定抱負之深淺，而在人生歷程中實踐抱負更需要刻苦的身體力行，故放翁言「少壯工夫老始成」，無論紙上學來之工夫，或內心培養之志氣，與外物相刃相靡之餘，猶剩幾多？詩題為〈觸筆寫人生〉，先以行書體勢下筆，爾後草書體勢漸盛，落筆鋒芒轉密，足見詩人嶔崎磊落之心志。詩人下筆寫「天人交戰」、「桃李春風」、「沙場十年」、「日照陰晴」等境遇象徵，大筆揮動草書體勢，行氣欹側激宕，而筆力沉穩不失，到末句「志氣在其中」時用墨半枯半潤，表達似顯非顯的超逸心態，筆墨相映，志氣高昂，情采可追左思、陸游。

本詩〈觸筆寫人生〉，全詩四行結構，凡六十字，草書行筆錯落緊密，筆力激宕生風，用墨枯潤相生，運用抽象、飄灑的線條，表達內心高昂之志氣。雖點畫波瀾縱橫，構形中的豎筆、波磔不改雄健本色，有名士舞劍、氣吞萬里之慨。

秋晴白雲

釋文

秋晴白雲藍天空　山青葉翠扶搖中　雀鳥高空低飛過　水秀晶瑩剔透東

款文

蘇文寬詩書二〇二一年三月

印文

起首印：大坤福　名章：蘇氏　文寬

詩情書喻

作者受到秋日景色的感召，遂寫下本首詩作。萬里無雲的藍天、旋轉落下的綠葉、於晴空中盤旋的雀鳥與秀麗的山水。

山中　　唐・王維

荊溪白石出，天寒紅葉稀。
山路元無雨，空翠濕人衣。

陶淵明〈和郭主簿・其二〉：「和澤週三春，清涼素秋節。露凝無遊氛，天高肅景澈。陵岑聳逸峯，遙瞻皆奇絕。芳菊開林耀，青松冠巖列。」古詩人歌詠秋色，能一反「悲秋」筆調者當以陶淵明為代表人物。陶淵明先以春雨與秋爽對比，突顯秋日清涼的天高氣爽，而用「天高景澈」、「陵岑逸峯」等詞，描述秋色的清秀奇絕，使全詩透出清新澄澈之感。本詩〈秋晴白雲〉，亦寫秋日晴爽，在山青葉翠之間，看見雀鳥低飛，水秀晶瑩的清秀光景。作者先從天際白雲寫起，再寫到青山翠葉，呈現出視覺由遠而近的變化；三、四句則以雀鳥高空低飛與溪水東流，勾勒出上下天光，一碧萬頃的景色輝映，一派秋日晴爽之色躍然紙上。

本帖為條幅直書作品，一共為三行結構，凡二十八字。用筆以行草體勢為主，點畫渾厚，結字舒朗開闊，字與字之間透出徐緩沉著的節奏感。開篇「秋晴白雲」字勾勒飄逸，第二句「山青葉翠」起用墨轉為頓挫雄沉，「飛」、「水」、「剔」更顯下筆蒼勁，是情性生鋒芒之作。綜觀全篇，行筆不拘墨色枯潤，收筆常留如飛白餘韻，以雄渾筆構寫天高秋景，更增跌宕氣象。上款引首印為雅趣橢圓閑章印，朱砂泥，落款雙行，右側姓名兩方印。

陶宗儀〈書史會要〉引李斯曰：「夫用筆之法，先急迴後，疾下如鷹望鵬逝，信之自然，不得重改。送腳若遊魚得水，舞筆如景山興雲，或卷或舒，乍輕乍重，善深思之，此理當自見。」此言用筆之法，下筆不拘成法，當如鷹望鵬逝；收束如遊魚得水，氣韻自然生成。觀書家起筆「秋晴白雲」飄逸如飛，正合鷹望鵬逝之意，第二句起筆勢轉雄，筆畫行草互見，用墨枯潤有致，如景山興雲，忽淡忽深，顯現出墨色變化的漸層之美。「天」字收筆以點畫取代捺筆，營造出視覺重心，別具巧思。作品裡「翠」、「中」、「飛」之豎筆或卷或舒，在畫面中既作如刀筆切割，形成結構錯落之美，又表現出舞筆自然之態。末句行筆如飛墨，結體欹側生姿，全篇宛如一幅秀傑蒼勁的秋景圖畫。

王維〈山中〉：「荊溪白石出，天寒紅葉稀。山路元無雨，空翠濕人衣。」摩詰此詩寫秋時天枯少雨，水露石出之光景，一時紅葉轉稀，溼氣浸衣，雖全詩不言秋字，而秋日景象歷歷可見。詩題為〈秋晴白雲〉，雖亦寫秋景，而氣象爽朗多采，與摩詰筆下寒秋山水截然不同，一、二句由遠而近，寫秋高爽朗與白雲當空，詩人眼中所見是秋日下的一派清明；三、四句寫秋景上下交映，雀鳥低飛，水流悠悠，則是詩人眼中的「一年好景君須記」。本詩超脫悲秋的詩歌傳統，寫詩人所聞所見的開闊秋景，超脫四時物色的限制，如似陶淵明別具心眼，從淡然山水中看出萬物蘊含的生生之德。

〈秋晴白雲〉一共為三行結構，以草書體勢為主。一、二句寫秋日晴爽，詩人徜徉於山青葉翠之間，呈現出由遠而近的視覺變化；三、四句寫雀鳥低飛，映照水波東流，描繪出上下天光，一碧萬頃的開闊秋景，透出萬物蘊含生生之德的深層感悟。全篇用筆渾厚蒼勁，墨色枯潤信之自然，構築成一幅蒼勁沉著的秋日畫軸。

秋晴

釋文

秋晴白雲藍天空　山青葉翠扶搖中　雀鳥低空高飛過　水秀晶瑩剔透東

款文

蘇文寬詩書　二〇二一年　春

印文

起首印：大坤福　名章：蘇氏　文寬

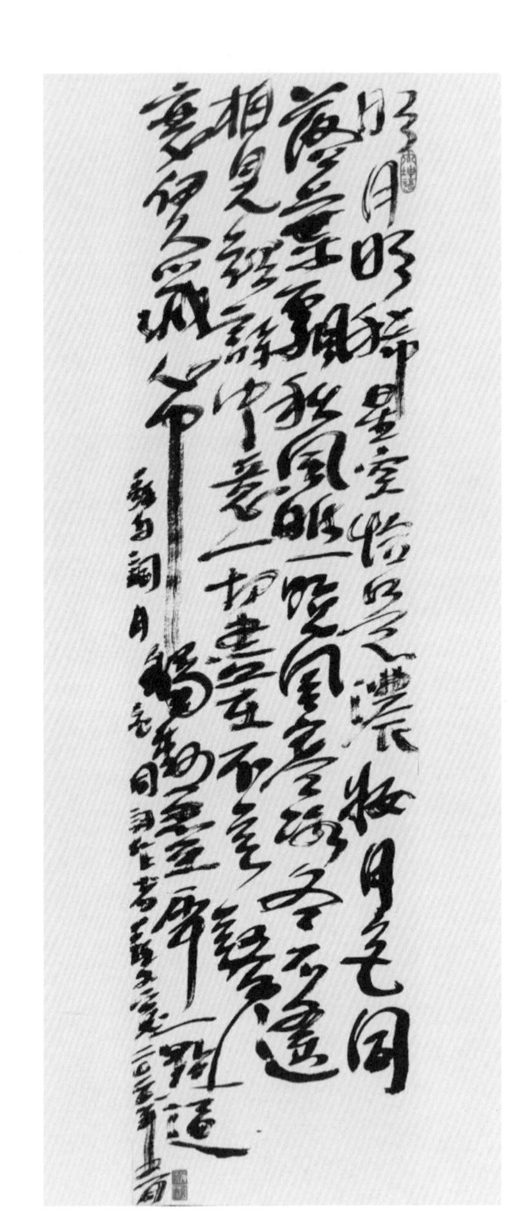

明月明

釋文

明月明　稀星空　恰是濃妝月色同　落葉飄　秋風瞧　晚風寒冰冬不遙
相見裡　話中意　一切盡在不言語　戀伊人　藏心中　觸動靈犀一點通

款文

蘇白詞月色同　詞作者蘇文寬二〇二一年三月

印文

起首印：大坤福　名章：蘇氏　文寬

詩情書喻

描寫秋季夜晚於心裡默默思念戀人之心情。

桂殿秋・思往事　清・朱彝尊

思往事，渡江干，青蛾低映越山看。

共眠一舸聽秋雨，小簟輕衾各自寒。

本詩題為〈明月明〉，為詩人於秋季夜晚因思念愛人之情而有感而發的作品。一、二段「明月明」、「秋風瞧」以視覺與觸覺直接點出詩作的時空背景。接著以「相見裡，話中意，一切盡在不言語」開始切入作者內心的感受，與愛人即便不言語，也能夠明白對方的心意。末段「戀伊人，藏心中，觸動靈犀一點通」，詩人將心裡的思念之苦以詩句表達的淋漓盡致。靈犀為古代之珍奇異獸，角中有如絲線般的白色紋理通向頭腦，接通後便能感應靈異，後有兩人心靈相通、情投意合之意。詩人遂巧妙的引用此句格言呼應自身的心境，表現出兩個相愛的人，彼此心意不明說卻能夠心領神會之情。

該幅作品以直幅的形制，落款於篇幅最左處，起首印位於右上方，名章則位在左下方之處。聚焦於「藏心中」三字，藏字筆劃多且複雜、中字於收尾部分做延伸，如同詩人的內心，對於愛人的思念綿延不絕。整首詩作字字相連、墨色亦有所變化，雖無直接寫出書家的心意，但能夠從文字中感受到其心中帶有彼此情投意合的甜，亦有因思念而生的苦，內心的起伏與動盪全投射於字裡行間。

元代文學家陳繹曾所著之〈翰林要訣〉提及：「喜即氣和而字舒，怒則氣粗而字險，哀即氣鬱而字斂，樂則字平而字麗。情有重輕，則字之斂舒險麗，亦有深淺，變化無窮。」寫出字會隨著心情的起伏跌宕而有所變化。一、二段為景色的敘寫，每字間距適中且整體筆觸流暢；而三、四段詩人在描繪自身心境時，可以發現字的間距縮短且字尾皆與下一字相連，「一切盡在不言語」、「觸動靈犀一點通」可知兩人是彼此相愛且心意相投的，但「戀伊人，藏心中」又帶出一種思念對方卻說不出口的糾結，呈現出詩人因思念愛人而情緒有所波動之心境。整首詩作透過字型、筆觸與格言，可以感受到詩人對於情人濃厚的思念與愛戀，是如此純粹而深刻的。

全詩與朱彝尊〈桂殿秋・思往事〉頗有相向之情懷，時空背景同為秋日，且同是表達對於愛人思念之作品。首句「思往事」便將整首詩界定於回憶裡，雖思念對方，全詩卻沒有一字在表達對戀人的愛慕與情意，但從文字的描繪即能夠感受到那深厚的愛戀，〈明月明〉與其極為相似，將對於對方的思念以文字投射出自身心境，一切皆不言而喻。

本詩作以秋日夜晚作為背景，秋季本就呈現出一種寂寥之感，於夜晚更顯清靜孤獨，因而襯托出作者思念之深刻與內心的孤寂。全詩皆沒有明說彼此的愛慕之情，而是以輕描淡寫的方式卻能夠讓讀者感受到其內心的波瀾，並善用格言讓詩作提高整體層次，更突顯那份深刻雋永而單純的愛戀與思念。

志趣

釋文
默言是無心　真情來相聚　歌走中線路　志趣左右間

款文
蘇文寬詩書于二〇二一年　春　台北

印文
起首印：大坤福
名章：蘇氏　文寬

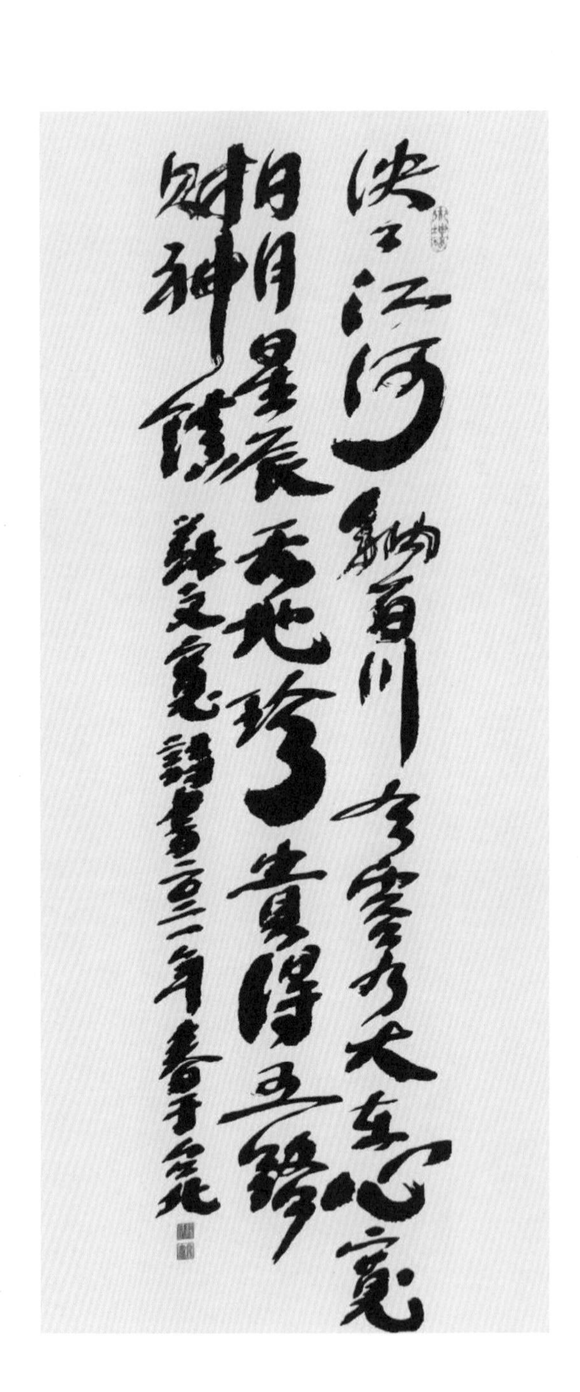

心寬納財

釋文
泱泱江河納百川　有容乃大在心寬　日月星辰天地珍　貴得五路財神鎮

款文
蘇文寬詩書二〇二一年春于台北

印文
起首印：大坤福
名章：蘇氏　文寬

心柔忘憂

釋文
忍中有　心中愁　但憑鬆柔忘其憂　耐之意　僅寸爾　進退之道一心柔

款文
蘇文寬書詩一體于天母　二〇二一年　春

印文
起首印：大坤福　名章：蘇氏　文寬

寂靜星辰

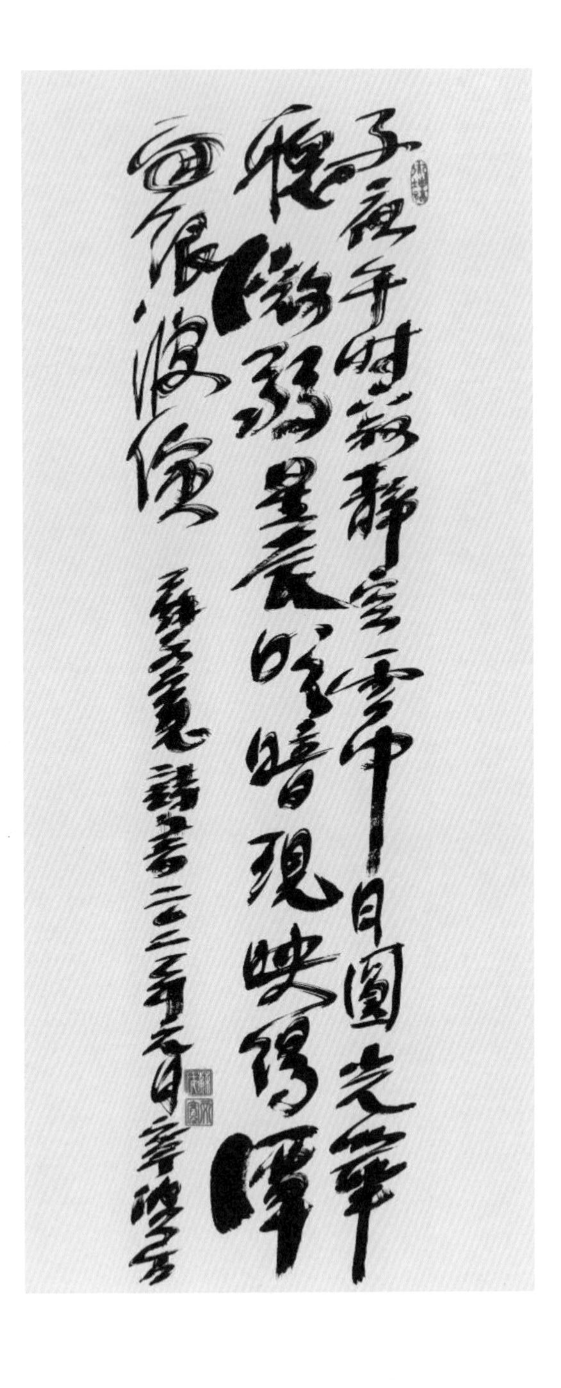

釋文

子夜午時寂靜空　雲中月圓光華聰　微弱星辰明暗現　映得潭面銀波演

款文

蘇文寬詩書　二〇二一年　六月　寧波居

印文

起首印：大坤福

名章：蘇氏　文寬

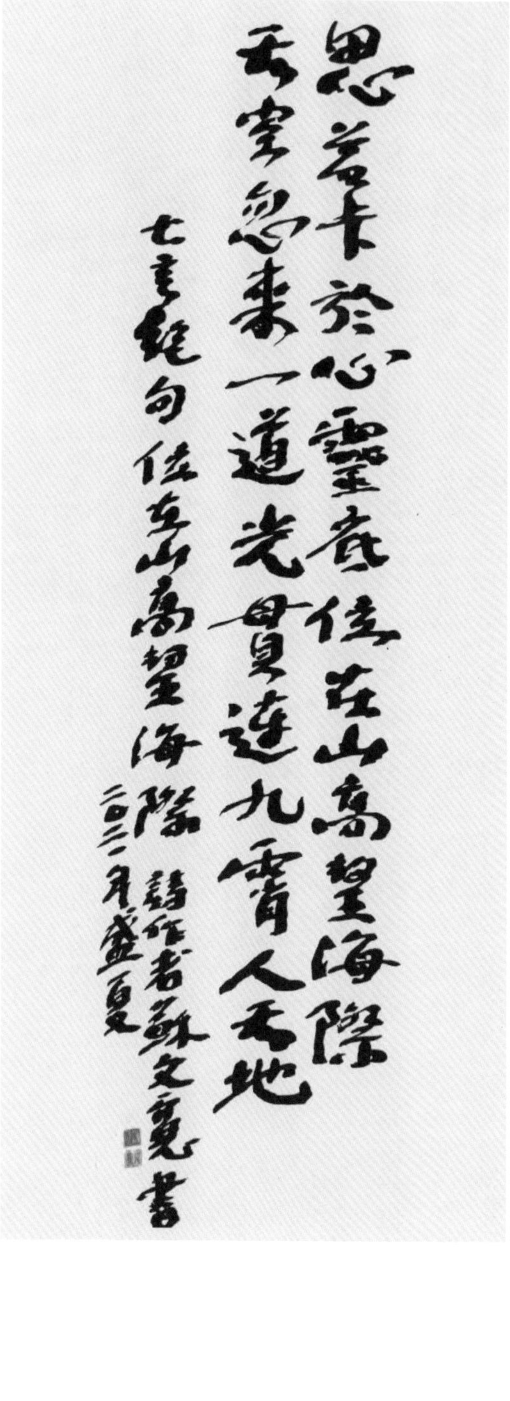

位在山高望海際

釋文

思若卡於心靈底　位在山高望海際　天空忽來一道光　貫連九霄人天地

款文

七言絕句　位在山高望海際　詩作者蘇文寬書　二〇二一年　盛夏

印文

起首印：大坤福

名章：蘇氏　文寬

詩情書喻

作者位在山中望著遼闊的海面，從天空閃出的一道光芒解開其內心的煩悶，使其將自身與天地融為一體。

石壁精舍還湖中作

晉・謝靈運

昏旦變氣候，山水含清暉。清暉能娛人，遊子憺忘歸。出穀日尚早，入舟陽已微。林壑斂暝色，雲霞收夕霏。芰荷迭映蔚，蒲稗相因依。披拂趨南徑，愉悅偃東扉。慮澹物自輕，意愜理無違。寄言攝生客，試用此道推。

本文題為〈位在山高望海際〉，是描述作者位在山中望著遼闊的海面，忽地從天空閃出的一道光芒，使其解開其內心的煩悶，將自身與天地融為一體。首句以內心的感受起頭「思若卡於心靈底」，接著轉向身處的地點，見到「天空忽來一道光」，體悟到自身和天地是一體的。本詩一開始從內心的煩悶破題，道出為何在山中的原因，並在山中望著遼闊無際的海面時，天空忽然剎現一道光，使詩人有如醍醐灌頂般茅塞頓開，明白自身跟天地是一體的，再看到一望無際的海面，明白自己的煩惱對於天地間，就猶如一介塵埃般不足道。

本幅作品以直幅的形制，表達登高望遠的起承轉合，文句之間可看出豁達的情緒，此書法款文為單長款，作七言絕句，位在山高望海際，詩作者蘇文寬書，二〇二一年盛夏，寫明作品格式與內容名稱，題名及詩詞創作年分。全篇蓋有三個印文，起首印大坤福，姓名對章蘇氏文寬作收。

全帖書寫雅致，文句勻稱的字裡行間，可看出書家當下的平復之情，散發著書家當時書寫的氣韻靜態，如同身歷其境當時的身心平靜，與本詩所要傳達的豁達相互呼應，頗有太極相生相應之意涵。文句之間的章法疏密均勻，雖略為緊貼卻保有呼吸空間，可看出作者的功力高深，其字法平靜卻帶有力量，作品中可看出書家在書寫時特別對於「思」、「天」、「光」三字，均捺筆較粗，可以看出書家用這三個字貫穿全文，也可看出書家當時思緒的轉折。首句以「思」起頭，直接破題當下的心境為何，筆法骨力勁道也表達其心境；「天」字展現短小圓潤的形象，更可看出書家心境上的鬱悶難耐；尾句首字「光」字法厚實，可見其此時心態上的轉換如同這道光的破曉而豁達，全幅書法看似平凡無奇，卻在三處下了不同的功夫，除可見其心境上的轉變，也可看出書家的書法功力深厚。

本詩與謝靈運〈石壁精舍還湖中作〉頗有意趣相合，皆論述天地自然與觀者本心。「慮澹物自輕，意愜理無違。」與詩人表達的舒暢相同，皆為看見天地之事物後的豁然開朗。「昏旦變氣候，山水含清暉。」此句形容黃昏和清晨的天氣變換，山水之間的景色如同清靈的光芒，與詩人在山中看見天空破曉的景象頗有相似之處，皆使觀者心中清明。

作者將心境上的轉變，藉由看到天地間的變化，天空中陽光的破曉，表達自身的心境轉折，頗有「眾裡尋她千百度，驀然回首，那人卻在燈火闌珊處」之趣，也如宋代詩人—陸游的作品〈遊山西村〉裡面提到的「山重水複疑無路，柳暗花明又一村」，轉念之間就有了不同的體悟，同時也頗有歐陽脩的〈醉翁亭記〉裡的「醉翁之意不在酒，在乎山水之間也。」的意味。

心靈底

釋文

思若卡於心靈底　位在天高地遠際　忽間一道光輝線　貫連九霄天地人

款文

七言絕句　心靈底　詩作者蘇文寬詩書　二〇二一年七月于天母

印文

起首印：大坤福

名章：蘇氏　文寬

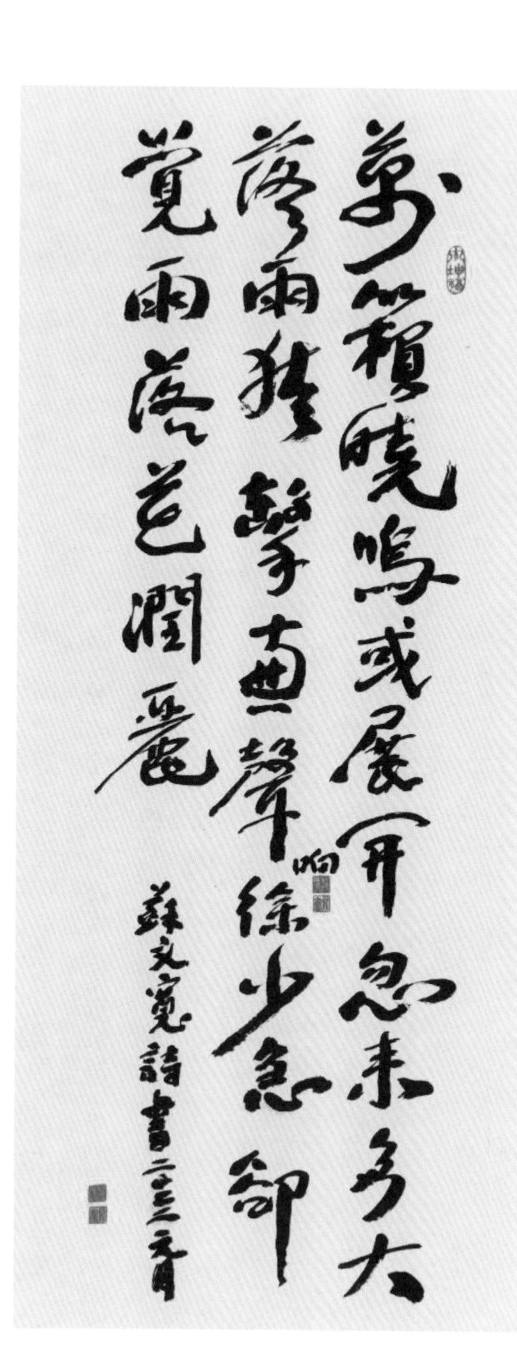

雨落花潤麗

釋文

萬籟曉鳴或展開　忽來多大落雨猜　擊窗聲响徐少急　卻覺雨落花潤麗

款文

蘇文寬詩書　二〇二二　元月

印文

起首印：大坤福　名章：蘇氏　文寬

詩情書喻

作者從聽覺與視覺描寫雨天之景，雨時緩時急打落在窗上發出聲響，並意外瞥見雨後的花朵更顯滋潤艷麗。

春夜喜雨　　唐・杜甫

好雨知時節，當春乃發生。隨風潛入夜，潤物細無聲。
野徑雲俱黑，江船火獨明。曉看紅溼處，花重錦官城。

本詩題為〈雨落花潤麗〉，講述雨天之時，雨水時緩時急的打落在窗上發出聲響，望向窗外卻意外瞥見經過雨的洗禮後，花朵更顯得滋潤艷麗。前兩句以聽覺起頭「萬籟曉鳴或展開」、「忽來多大落雨猜」利用背景描寫來突顯雨天，以寧靜的時空來襯托滴答的雨聲。第三句「擊窗聲响徐少急」同樣採用聽覺摹寫，生動形容窗外雨滴忽大忽小、時緩時急的打落窗上，此句將雨天意象帶至巔峰，而末句「卻覺雨落花潤麗」則不同以往採用視覺，描述詩人發現窗外的花朵在雨點的襯托下更顯艷麗，以樸實卻踏實的一句作收。

本帖採直行條幅的形式，彰顯雨滴由上而下滴落的景象。書法款文為單短款，蘇文寬詩書，二〇二二元月，為作者姓名及詩詞創作年分，落款處位於詩詞下方，使詩詞變得更加整體。全篇蓋有五個印文，起首印大坤福與姓名對章蘇氏文寬。首句「萬籟曉鳴或展開」其中「開」字特別展現其圓潤的形象，書家在此顯現雨天圍繞的空間感。並在第二句「忽來多大落雨猜」之「大」字中以斜點的方式收筆，在視覺上營造出雨點意象，形成結構中的重筆，瀟灑外更別具魄力。

全帖書寫雅致優美，字詞間疏密有致，文句整齊劃一，彷彿雨滴絲絲落下般，在筆畫連帶之間可見其筆法圓潤典雅之氣，散發出流動飄逸的氣質，與本文所描寫之雨天景色互相呼應。其字法猶如雨點般輕柔卻具力量，文字力句間章法生動，前三句將雨天之景、聲描繪得如臨眼前，將觀者帶入其中，末句則帶領觀者意會心中的那窗外花朵是如何在雨點的襯托下更顯艷美。並在文字呈現的視覺上別出心裁，在首句「開」字展現圓潤的形象，開闊的下筆方式突顯雨天圍繞的空間感，二句的「忽」字連筆也呈現圓滑貌，將雨滴之形透過文字的描繪更加生動；「大」字則以斜點的方式收筆，視覺上營造出雨點意象，詩人在前兩句便將雨天之景以自身之聽覺及下筆所呈現出的視覺發揮得淋漓盡致，文、形呼應，烙印雨天鮮明的形象。

本詩與杜甫〈春夜喜雨〉意趣相類，論述皆與雨天之於花朵相關。「曉看紅溼處，花重錦官城。」此句形容被細雨滋潤過的紅花，映著曙光顯得格外鮮豔，而錦官城的大街小巷肯定也因飽含雨露的花朵而有一片萬紫千紅的景象。與本詩〈雨落花潤麗〉中末句「卻覺雨落花潤麗」擁有相同感悟，皆讚嘆因為有雨滴落在花瓣上，被雨滋潤的花朵才能更加美豔。

作者將雨天之景感官領略後以自身豐富的詞彙文藻結合，透過生動的形容描繪紀錄眼前景象，並提出不同於大眾之雨天意象—雨落花潤麗，以聽覺、視覺領會後消化並悟出獨樹一幟的道理，作詩在紙上，使讀者能鮮明地體會到雨天之美，別具藝術巧思意趣。

看山聽水

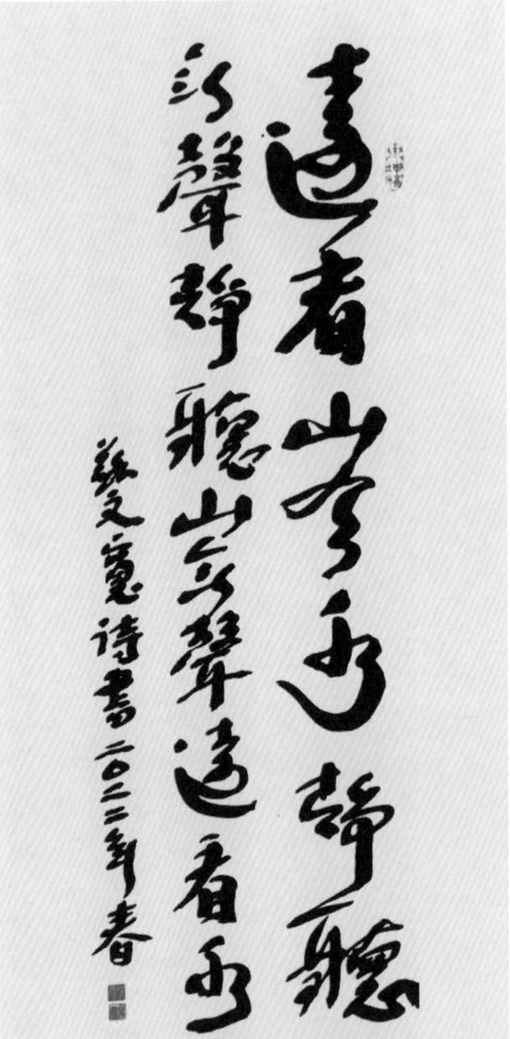

釋文
遠看山有水　靜聽水無聲　靜聽山無聲　遠看水無色

款文
蘇文寬詩書　二〇二二年　春

印文
起首印：大坤福
名章：蘇氏　文寬

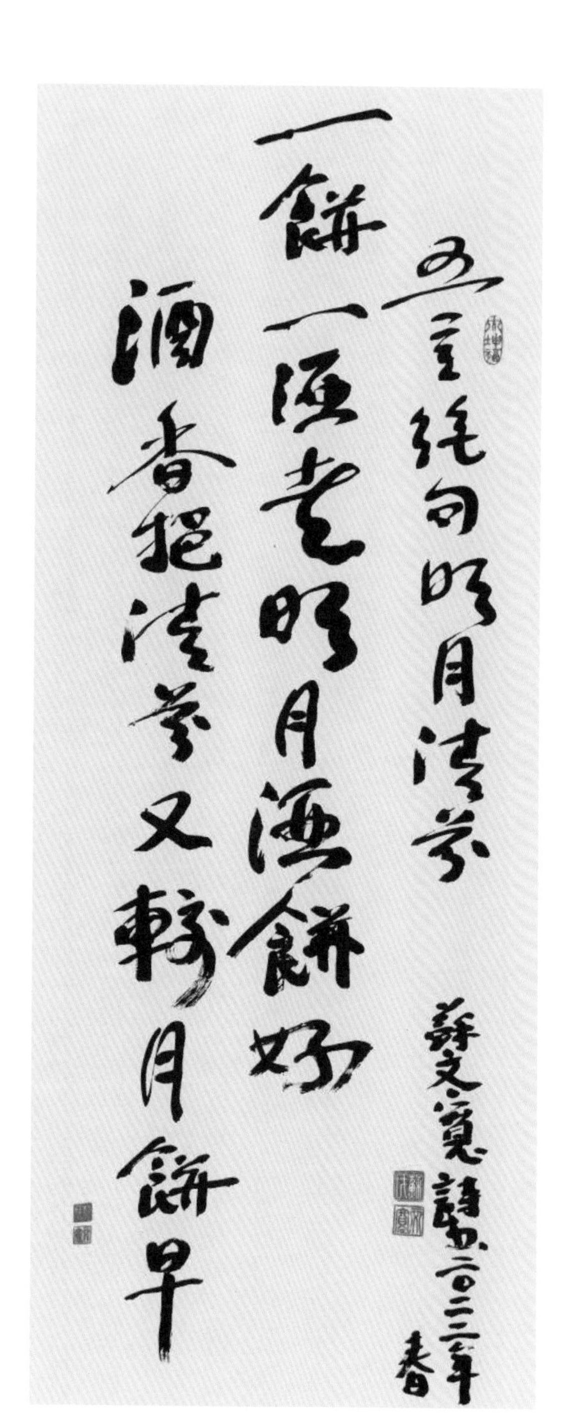

明月清芬

釋文

一餅一酒老　明月酒餅好　酒香把清芬　又較月餅早

款文

五言絕句　明月清芬　蘇文寬詩書　二〇二二年　春

印文

起首印：大坤福　　名章：蘇氏　文寬

詩情書喻

作者描寫於華美月色下一邊啜飲醇酒一邊啖餅之景象。

遊洞庭湖五首・其二　　唐・李白

南湖秋水夜無煙，耐可乘流直上天。
且就洞庭賒月色，將船買酒白雲邊。

本詩題為〈明月清芬〉講述詩人於華美月色下，一邊啜飲醇酒、一邊啖餅的愜意時光。首句「一餅一酒老」破題指出作者此刻正在進行的事件，立即引導讀者進入詩境，而「明月酒餅好」即為導入此時的時間背景，描述作者在夜晚明月的帶領下，品嘗著美酒及好餅的景象。末兩句「酒香挹清芬」、「又較月餅早」則將讀者帶入詩詞更深層之境，透過嗅覺摹寫增添臨場感，將意境完整呈現於讀者心中。

本文採直幅的形式，落款於詩中右側破題，作五言絕句明月清芬，寫明作品內容名稱，下方作蘇文寬詩書，二〇二二年春，為書家於二零二二年春天時所作。全篇蓋有五個印文，起首印位於右上方，而名章則位在左下方之處。全幅可拆半賞析，書家將篇幅對半拆開，兩行間上、下有別，可見詩人對於編排呈現上之細膩程度，透過行距、字高的差別顯示作者對於情境的感受及其享受之貌。

整首詩字字分明，連筆較少，顯示詩人心如止水般平靜，在華美月色下照映出內心之平淡，啜飲小酒更為此詩之境增添幾分愜意自在。全詩以「酒」和「餅」連接，其「明月酒餅好」之「明」下筆稍重，若將明字拆解可分為「日」、「月」二字，詩中明顯可見右半邊之「月」部分下筆更重一些，並且以連筆之形式呈現，頗具豪放感，此字也成為全詩詩眼，引導讀者直接進入書家的時空背景，感受其內心自在地徜徉於月下的正面情緒。

本詩與李白〈遊洞庭湖五首・其二〉頗有相向之情懷，詩人與李白皆在華美月色之下啜飲醇酒，首句「南湖秋水夜無煙」為讀者描繪出月夜泛舟之景，明月皎皎，湖水悠悠，水月相映，清輝怡人，如同本詩「明月酒餅好」及「酒香挹清芬」之境，簡單描寫不做過多的詞藻交疊，更加帶出明月的皎潔和酒香之清芬。兩首詩同將日常之繁雜思緒在月色照映下化作酒水吞入腹內，具有獨身之滄桑感，卻又在詩境的呈現上不令人可憐，而是對於這種滄桑又愜意的時光感到稍有欽羨。

本詩在一開始隨即點出當時之時間背景及其身邊物件，隨後引導讀者領會「明月」、「酒」和「餅」三者關係，解釋整體形象。即使作者沒有刻意精工雕琢，只是透過自身之技巧將文字運用得宜也能引領讀者意會詩境，此時讀者心中也自能湧現一幅月色當酒，夜晚時分之愜意景象，將常民之飲食文化體現於此，好似現代上班族下班後的時光。作者與讀者於此之間產生共感，可謂一首平易近人且雋永悠長的好詩。

浩然初衷

釋文

朝日斜照東方來　陽光滿滿西邊愛　紫氣五內浩然中　初衷綿綿細細懷

款文

蘇文寬詩書　二〇二二年　春

印文

起首印：大坤福

名章：蘇氏　文寬

怎奈

釋文

久候飛鴿傳書回　痴中忽過二時辰　望遍青空無飛鳥　怎奈靈犀渺茫追

款文

七言絕句　怎奈　詩作者蘇文寬　書于台北

印文

起首印：大坤福　名章：蘇氏　文寬

美境真情

釋文

美豔的灑落大地　夕日餘暉　美妙的隨風而起　柳絮遍地
美麗的可愛故鄉　青青草原　美好的詩篇句句　真情真諦

印文

起首印：大坤福　名章：蘇氏　文寬

詩情書喻

作者被春日夕陽美景所觸動，因而寫下此詩作。

詠柳　　唐・賀知章

碧玉妝成一樹高，萬條垂下綠絲絛。
不知細葉誰裁出，二月春風似剪刀。

本詩題為〈美境真情〉描寫作者被春日夕陽所觸動，有感而發所寫下的詩作。首句以視覺起頭「美豔的灑落大地」，描寫的是在傍晚時，太陽下山，燦爛的夕陽餘暉灑落大地，接著微風吹起，讓人感到身心舒暢，柳絮隨風飄落遍地，前面所述的美景讓作者憶起家鄉的美好。詩人而後寫到「美麗的可愛故鄉，青青草原」，使語句與前面的美景相呼應，用詞簡單美好，表現出對家鄉純粹的思念之情，在最後一句表現出整首詩的樸質美好。本篇作品真情流露，以視覺摩寫貫穿全文，用所見的落日餘暉、遍地柳絮，再到家鄉的青青草原，讓人不由得也勾起思鄉之情。

該幅作品以直幅的形制，表現真情真諦的情感，文句之間排列整齊，全文井然有序，每句都以「美」作為開頭，展現出景物的美好。且全篇形式整齊一致，前三句所描述的景象，為最後一句的所表達的真情真諦作鋪成。全篇內容分段有序，給人一種舒暢的韻律感，整體書法形式向下走，有一種層層遞進的感覺，本片詩作有如「揮毫落紙如雲煙」，在有感而發後，揮筆寫下的作品。

唐代李嶠在其詩〈書〉中寫到「削簡龍文見，臨池鳥跡舒。河圖八卦出，洛範九疇初。垂露春光滿，崩雲骨氣餘。請君看入木，一寸乃非虛」，其中第二句寫到書法是中國文化的起始源頭，洛河的存在才導致了〈洛書〉的出現，後兩句描寫書法垂露圓渾有力，一筆一劃又好似碎裂的雲朵力勁暗藏期間。仔細觀察作者的每一個筆畫，每一寸都是圓渾流暢、筋骨俱備。李嶠在詩中是看著美景，倚靠在欄杆上賞詩，而我們的作者是看著美景有感而發寫詩，兩人的意境有異曲同工之妙，一樣都是美景伴詩。本篇書法看似圓渾，實際觀察書法的遒勁又暗藏期間，全篇形式酣暢淋漓，真情真諦表現無遺。

全詩與賀知章〈詠柳〉頗有意趣相合之處，講述柳樹美好的姿態。柳樹在歷來的文學作品中，常帶有留下、挽留的意思。夕陽美艷但無法久留，柳絮飄落表示生命一個段落的結束，景色縱然美好，但也有消逝的時候。柳樹的表達似乎是想把時間定格在這一刻，讓美好的景物不要消逝，留存的時間雖然短暫，但在那一刻心靈似乎受到洗滌，美好的事物總是能夠洗去一天的疲憊。微風吹過，柳樹隨風搖擺，柳絮迎風飄落，夕陽溫柔的照耀著，在落下前散發著最後的光芒，就如「今天晚霞溫柔，風也醉人」，留不下的美景，遙遠的家鄉，撒落的晚霞讓一切顯得惋惜，真情在此刻流露，寫下此美好詩作。

夕陽配微風，微風伴柳絮，美景使人思故鄉，有感而發寫下了詩作，讓人想起一句話「我永遠愛傍晚輕撫的微風和落日黃昏」，詩作句句傳遞真情，真摯的情感流露，不由得引人共鳴。

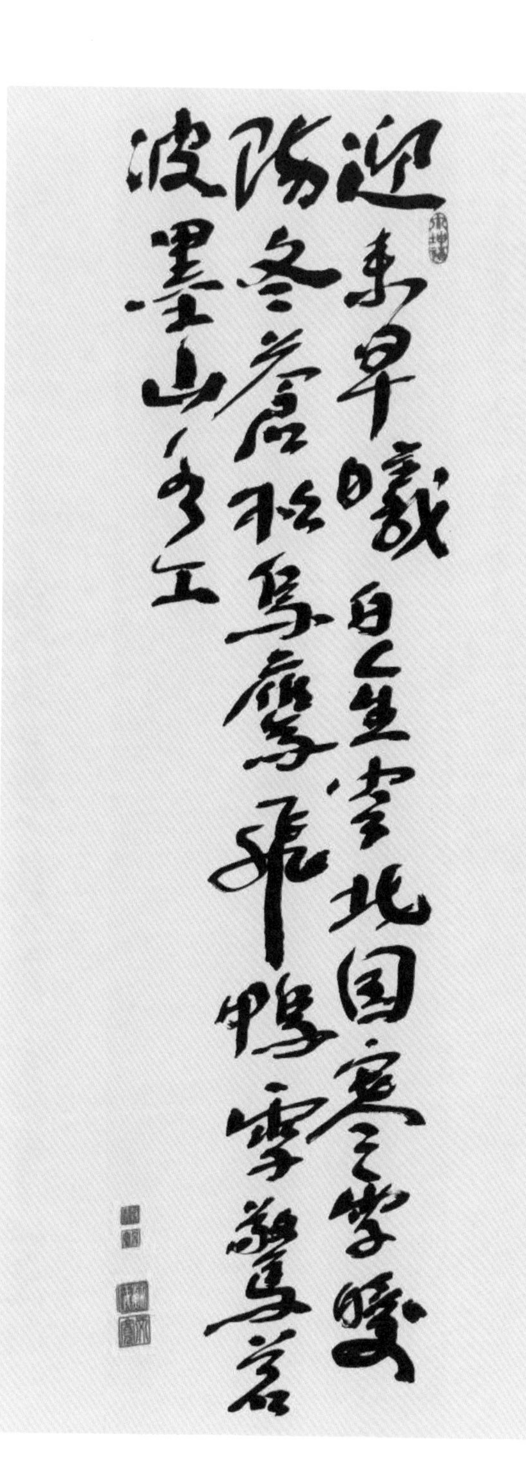

北國早曦

釋文

迎來早曦白金空　北國寒雪暖陽冬　蒼松烏鷹飛鴨雪　鷲若波墨山水工

印文

起首印：大坤福

名章：蘇氏　文寬

太極心法

釋文
鬆柔是本然　中正乃身堅

款文
詩作者蘇文寬書于二〇二〇年　初夏

印文
起首印：大坤福
名章：蘇氏　文寬

詩情書喻

太極心法的本質為身心堅定，將身體放柔軟，呈現一種剛柔並濟的感覺。

道德經・第二十五章　東周・李耳

人法地，地法天，天法道，道法自然。

本詩題為〈太極心法〉是講述太極的精神和心理的現象，指在做太極時，對於眼、耳、鼻、舌、身、意的認識。在身心保持堅定的狀態下，將身體放柔放軟，使身心呈現一種剛柔並濟的感覺。正如同太極所表達的寓意，天地為一陰一陽、一剛一柔，陰陽調和，才能取得天地間的平衡。而其中心的思想為「身堅」。

本帖以直行條幅的形式呈現，雖只有一句話，但卻充分表達了太極拳的兼容並蓄。款文為雙短款，上款作太極心法，寫明作品內容名稱，下款作詩作者蘇文寬，書于二〇一〇年初夏，寫有姓名及詩詞創作年分。全篇蓋有三個印文，以朱文印「大坤福」做起頭，姓名對章「蘇氏文寬」結尾。

全文用筆就如同打太極般，兼容並蓄、陰陽調和，在文句之間，可以看出書家作品中的豪勁裡蘊含著柔情。其筆觸一推一拉的型態，如同打太極時的招式所要傳達的陰陽調和之道。全文集中在「本」字，豎筆粗獷且剛強有力，更可見書家欲表達太極的心法為「本」，中心思想為「身堅」，意傳達自身的修養需堅定、堅毅，才是太極的中心思想。全幅用墨濃厚粗獷，詩題「太」字捺筆較短、較粗，如同打太極時的起首式，詩眼「本」字豎筆粗直，豎筆似竹，堅毅且秉直，「心」字在詩首、詩中更是表現出太極的陰陽之道，前者筆法粗獷且圓潤，後者筆法俐落又柔如水，如劍出鋒、振筆疾書，彷彿正在演練一套一氣呵成的太極拳。

全詩與《道德經‧第二十五章》中也提及：「人法地，地法天，天法道，道法自然。」意趣相類，兩詩都是法天地之道而運行動態。全幅描述太極的中心心法為「本」。打太極時舒展四肢的情形，整個空間彷彿就是座太極場域，指太極心法「本」在當地的普及；「動靜相生剋，虛實轉送迎。」講述太極陰柔調和、相生相剋之道，就像文中所提的太極心法中心「自堅」，表達自身如太極相生相剋的矛盾心理；「乾坤德道守，日月將身明。」表達太極的乾坤、陰陽調和後的結果，就如同本詩的太極心法中心「身堅」最後的結果。

作者自省太極心法的中心「自堅」，為太極陰陽調和之道、相生相剋的概念融入自身的在太極拳的修行當中所得出的結果，藉由書法為傳遞的媒介，時而粗獷、時而柔媚的筆法，深刻的表達出太極兼容並蓄的意涵，作者將太極之道，帶到自身的修身養性之道，更悟出太極心法「身堅」乃為吾等修身養性之榜樣。

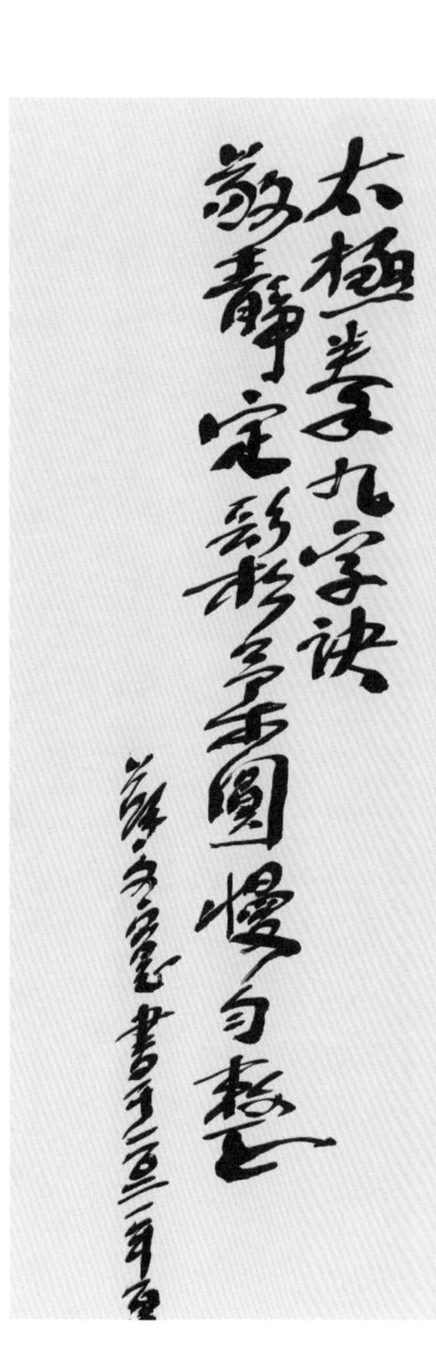

太極拳九字訣

釋文
敬靜定鬆柔圓慢勻整

款文
蘇文寬　書于二〇二一年　夏

印文
起首印：大坤福　名章：蘇氏　文寬

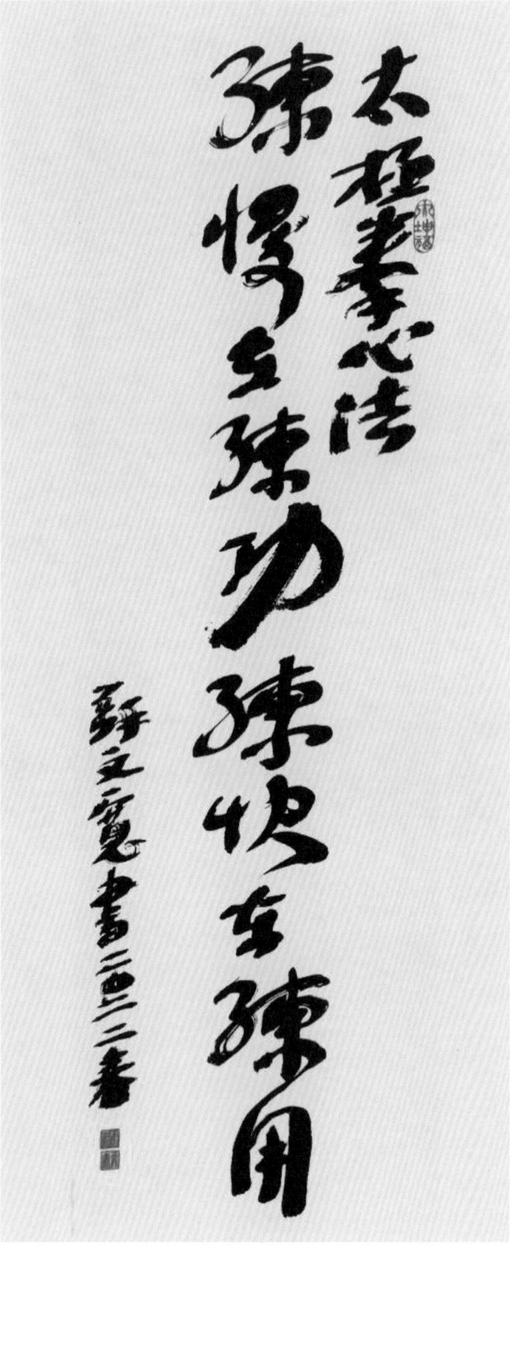

太極拳心法

釋文

練慢在練功　練快在練用

款文

蘇文寬書　二〇二二　春

印文

起首印：大坤福

名章：蘇氏　文寬

智者仁者

釋文

智者樂山志　仁者樂水悟

款文

蘇文寬詩書二〇二二年春

智者仁者　丙申年臘月

蘇文寬心語書于斗六家中

印文

起首印：大坤福

名章：蘇氏　文寬

詩情書喻

聰明的人學識淵博，如同高山一樣深厚而富足。具仁德的人，如同流水般思想與心境清澈又鮮明。

論語・雍也　　東周・孔丘等

知者樂水，仁者樂山；知者動，仁者靜；知者樂，仁者壽。

詩詞內容與《論語》〈雍也章〉：「知者樂水，仁者樂山；知者動，仁者靜；知者樂，仁者壽。」之語。書家所居近可望山景，旁伴磺溪潺潺，靜謐優雅，閒居自在。

此書法款文為雙短款，前幅上款作「智者仁者」、「丙申年臘月」，下款作「蘇文寬心語書于斗六家中」。後幅同前幅皆鈐有「大坤福」於右上，落款「二〇二一年春」為書家近期的作品之一，注重詩書一體，我手寫我心的詩人，早已有自己的一套字法結體。行與行之間雖不平穩，字與字間卻以大小相互襯托，以大字為中心強調，足見基本功之深厚。書家的詩詞，源於他喜歡的山水，源於他的心，行筆節奏緩慢且確實，且歌且行，自然的帶出大地之母的力量與厚實。行雲流水之勢，可見其取法之高。

黑白關係和諧，墨法濃而厚實，情感深厚。落款字體上款大於下款，與詩詞內容齊平，小而隨興和諧，未有喧賓奪主之勢。其用印蓋有三章，符合古書法傳統的「章不過三」。起首印朱文印大坤福，期許大地般厚德載物的智慧，姓名對章白文印蘇氏，朱文印文寬，兩印間陰陽搭配、距離適中，使其相互呼應，豐富文章畫面。整體氣韻寬大厚實且自然，展現其沉穩且擁有豐富人生閱歷的一面。

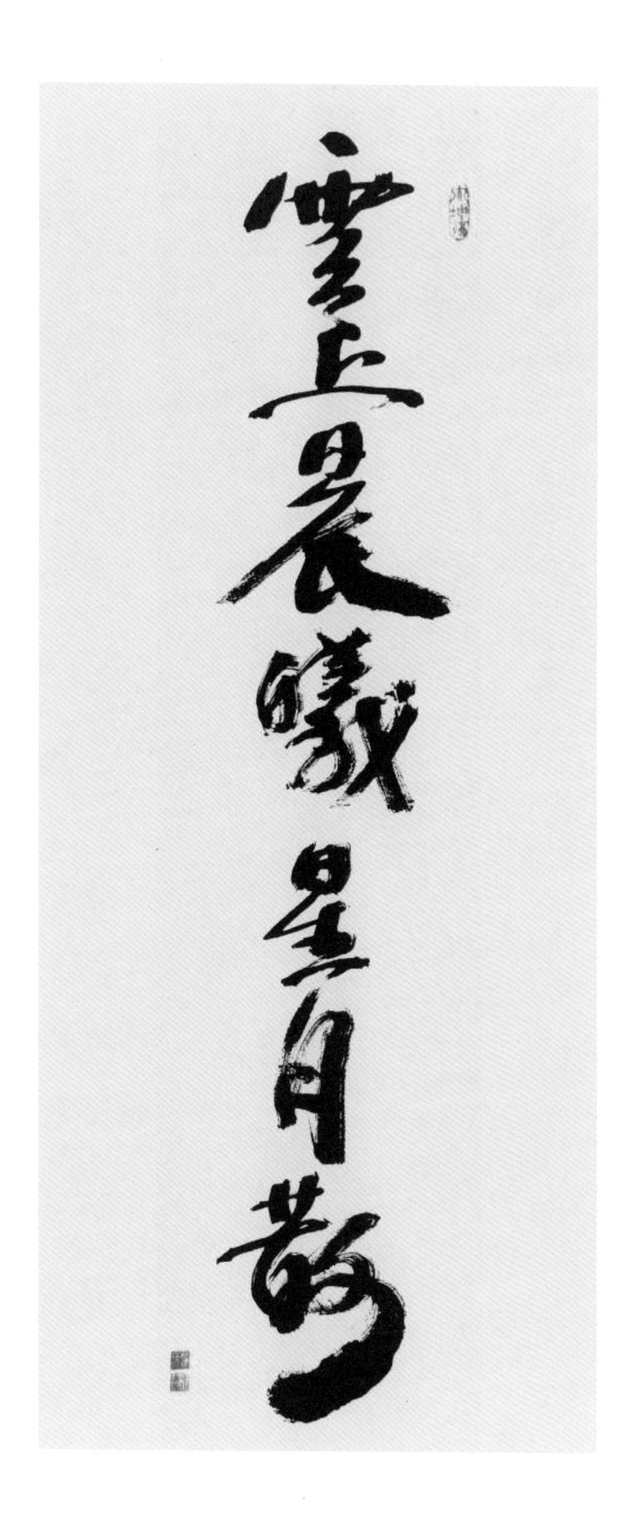

雲上晨曦星月散

釋文

雲上晨曦星月散

印文

起首印：大坤福

名章：蘇氏　文寬

寰宇萬物彩霞飛

釋文

寰宇萬物彩霞飛

印文

起首印：大坤福

名章：蘇氏　文寬

春空雲來

釋文
春空雲來天連山

印文
起首印：大坤福

名章：蘇氏　文寬

朝旭紫紅穹蒼照

釋文

朝旭紫紅穹蒼照

印文

起首印：大坤福

名章：蘇氏　文寬

詩情書喻

作者描寫朝日初升，陽光照耀整片大地的壯麗景色。

題破山寺後禪院　唐・常建

清晨入古寺，初日照高林。竹徑通幽處，禪房花木深。山光悅鳥性，潭影空人心。萬籟此俱寂，但餘鐘磬音。

詩人詠嘆日出之美，讀之如讓人置身於日出時分，遠眺朝日初升，一抹紅紫色光亮染遍了天際，逐漸變成一輪火光浮升空中，照耀著天空與大地，景色壯觀瑰麗。「穹蒼」為廣闊的天空的意思，也可寫成「蒼穹」。此句雖只有短短七字，卻包含了時間空間、景觀、顏色和內心的感嘆。詩人對於旭日東昇，千紅萬紫地照耀著天空與大地的大自然之美嘆為觀止，因而做成這首詩。

此作品為條幅豎寫，上下款一行式，一行七字，雙款印，全篇用墨枯潤有致，揮灑蒼勁，結體一氣呵成，走筆既錯落又展現勻稱的視覺美感，作品和諧統一。本篇未有落款，全篇一橢圓印、兩姓名方印。

明代項穆〈書法雅言〉：「書法要旨，有正與奇。所謂正者，偃仰頓挫，揭按照應，筋骨威儀，確有節制是也。所謂奇者，參差起復，騰凌射空，風情姿態，巧妙多端是也。奇即運於正之內，正即列於奇之中。正而無奇，雖莊嚴沉實，恆樸厚而少文。奇而弗正，雖雄爽而飛妍，多譎厲而乏雅。」此作品正與奇兼具，字體互相呼應，骨健氣足，姿態萬千。起筆多為藏鋒起筆，方圓並用，整體顯現出雄渾瀟灑。「旭」字，筆勢通暢，墨色乾而不燥。「紫」、「紅」二字筆畫連貫，一氣呵成。「穹」、「蒼」二字為詩眼，中鋒用筆，遠觀其勢，顯現出天空的廣闊。「照」

字起筆露鋒，極盡變化，收筆之時，點化為撇，融入詩中「朝日萬丈光芒，使人嘆為觀止」之意，筆勢磅礴且有餘韻之妙。

〈題破山寺後禪院〉一詩為五言律詩，詠佛寺禪院，詩人抒發隱逸山中，淡泊名利，超出塵俗之胸懷。整首平鋪直敘，讀者如臨其境，跟隨詩人於日出時分進入古寺，穿越禪院小徑，發現隱藏於花木後的禪房，偶而也會聽到鳥兒雀躍妙啼，屋旁潭水清澈映影，此時由寺中傳來悠揚而宏亮的鐘磬聲音，讓詩人心靈沉靜，進入物我兩忘的境界。此詩首句「清晨入古寺，初日照高林」與「朝旭紫紅穹蒼照」時間、空間、景色相似，彷彿看到兩位詩人超越時空，一同漫步在清晨的竹林小徑上，欣賞旭日東昇，照耀萬物，頗有「萬籟此俱寂，但餘朝日霞。」之意，此景此刻心中的塵世雜念頓時滌除。兩首詩皆構思巧妙，表面看似樸實無華地寫景，並未堆砌華麗辭藻，「工於造意，妙在言外。」但詩喻皆意在言外，引導讀者在平易中入其勝境，體會到詩所蘊含的旨趣。

此作品〈朝旭紫紅穹蒼照〉為詩人詠嘆日出美景有感而作。自然界中，日出與日落，光明與黑暗，凡人看來無非只是稀鬆平常的景色而已，然而詩人觸景生情，乃吟詩以對，詠嘆大自然的壯麗景色，引人遐思。古往今來，有才情者，寓情於景，化為千百作品流傳後世。而此詩句雖僅短短數字，然已道盡面對美景千絲萬縷之情！

編後語

三年前初來乍到雲林，徜徉在蓊鬱扶疏的校園裡，思索著自己接下來的研究與生活。本校以科技產業為發展核心，辦學注重應用與實效。身為校園中少數以人文為研究對象的漢學應用研究所，也應符應這個核心宗旨，走入地方與進入產業，思考人文研究如何提升科技與企業的視野與文化。

在管理學院鄭博文教授的引薦下，有機會認識大山企業的蘇文寬董事長伉儷。在多次的接觸與討論中，發現蘇董事長著實是臺灣傳統產業界難得一見的文化企業家。在忙碌的事業經營中，蘇董總能如曹孟德般，橫槊賦詩於生意的疆場，以詩為教，輔助公司之營運。惇惇古風，令人彷彿復見范蠡陶朱、端木子貢，寓詩書於通貿，化儒術於商道，令人欽慕不已。

因緣際會之下參觀了蘇董斗六之雅居，書法作品盈室，望似不像是個企業家之居反倒是個藝術家之工作室了。深入詢談與了解，發現該書作中之詩詞文句，非擷取典籍中之常語，多為自身創意之思，運筆成書。量多且質精，不禁興起為董事長蒐羅卷帙、彙纂成書的想法。

時值董事長也到本校進修博士，則相遇相處之機會夥多。加上鄭教授的引薦與建議，開始為董事長整理起歷年來的書法創作作品。其中以舉辦過數次的「寬心書情話意—蘇文寬書法展」尤為此次之精選編輯對象。經歷數次的企劃研討與北上訪談與拍攝，利用課餘之暇整理詩書作品，發現董事長之作浩瀚廣繁，佳作頻現。

董事長自詡乃太白與東坡之轉世合體，筆名：「蘇白」，其詩書之風格，融合了元好問《論詩絕句》中論太白詩「筆底銀河落九天」、王文治《論書絕句》評東坡書：「坡翁奇氣本超倫，揮灑縱橫欲絕塵。」的特色，轉筆揮灑、自在逍遙。加上蘇董長年練習太極拳法，總能入拳意於筆畫線條間，往往力透紙背、入木三分。作品的內容多元且蘊含生活雅趣，有文徵明「茗杯眠起味，書卷靜中緣。」的味道。

本卷名為《山峙淵渟，寬仁大度——蘇文寬書法作品集》，其中含納文寬董事長「詩」、「書」雙絕，如〈滿庭芳・上張紫微〉：「筆走龍蛇，詞傾河漢，德藝雙成。」所云，於此成卷，謹呈方家雅士賞鑑。

國立雲林科技大學漢學應用研究所助理教授

王世豪

文化生活叢書　1300011

山峙淵渟，寬仁大度——蘇文寬書法作品集

作　　者　蘇文寬
編　　者　王世豪
責任編輯　呂玉姍
封面設計　連妙音、黃聖容

發 行 人　林慶彰
總 經 理　梁錦興
總 編 輯　張晏瑞
編 輯 所　萬卷樓圖書股份有限公司
臺北市羅斯福路二段 41 號 6 樓之 3
電話 (02)23216565
傳真 (02)23218698

發　　行　萬卷樓圖書股份有限公司
臺北市羅斯福路二段 41 號 6 樓之 3
電話 (02)23216565
傳真 (02)23218698
電郵 SERVICE@WANJUAN.COM.TW
香港經銷　香港聯合書刊物流有限公司
電話 (852)21502100
傳真 (852)23560735

ISBN 978-986-478-790-6
2022 年 12 月初版
定價：新臺幣 3000 元（全套精裝二冊不分售）

如何購買本書：
1. 劃撥購書，請透過以下郵政劃撥帳號：
帳號：15624015
戶名：萬卷樓圖書股份有限公司
2. 轉帳購書，請透過以下帳戶
合作金庫銀行　古亭分行
戶名：萬卷樓圖書股份有限公司
帳號：0877717092596
3. 網路購書，請透過萬卷樓網站
網址　WWW.WANJUAN.COM.TW
大量購書，請直接聯繫我們，將有專人為您服務。客服：(02)23216565　分機 610

國家圖書館出版品預行編目資料

山峙淵渟,寬仁大度 ： 蘇文寬書法作品集/蘇文寬著. -- 初版. -- 臺北市 ： 萬卷樓圖書股份有限公司, 2022.12
面 ；　公分. -- (蘇文寬作品集 ; 1300011)

ISBN 978-986-478-790-6(精裝)
ISBN 978-986-478-791-3 (全套：精裝)
1.CST: 書法　2.CST: 作品集
943.5　111019671